# MANIFESTE D'UN SALAUD

Roch Côté

# MANIFESTE
# D'UN SALAUD

*[signature manuscrite]*
été 91

Éditions du Portique

Tous droits réservés
© 1990 , les Éditions du Portique
Dépôt légal:
Bibliothèque nationale du Québec
Bibliothèque nationale du Canada
Quatrième trimestre 1990

Composition:
Concept Médiatexte
7383A rue de la Roche
Montréal, Québec

Couverture:
Denis Thériault

Distribution:
Québec Livres

Les Éditions du Portique
Case postale 234
Terrebonne, Québec
J6W 3L5

ISBN 2-9802-1710-7

*Que tes mains soient bénies, car elles sont impures!*
*(...)*
*Que tes seins soient bénis, car ils sont sacrilèges!*
*(...)*
*Que ton âme soit bénie, car elle est corrompue!*

Remy de Gourmont

# SOMMAIRE

# Le tabou

*L'impunité*

Le tabou est la chose du monde la mieux partagée.

Au 20e siècle, chaque grande idéologie a généré les siens propres: le communisme, le nazisme, le gauchisme, le tiers-mondisme, bientôt l'écologisme sans compter l'anti-tabagisme, élevé au rang de cause sacrée lui aussi.

Un des plus solides tabous a été engendré chez nous par le féminisme.

Qu'est-ce à dire? Que le féminisme, en tant que doctrine, s'est élevé au rang de parole sacrée. La parole sacrée ensuite fait taire. Ne lui conviennent que vénération, dévotion et célébration, celle-là assurée par ses grands prêtres avec grand bruit de cabale. C'est la cabale des dévotes.

Cinq jours après le massacre de l'École Polytechnique, le 6 décembre 1989, la présidente de la Centrale de l'enseignement du Québec, Lorraine Pagé, nous apprenait que «la vie est beaucoup plus en sécurité dans les choix des femmes que dans les choix des hommes».

Cette sentence a été imprimée dans tous les

journaux et reprise dans les médias électroniques. Personne n'a répondu à cette énormité.

Supposons maintenant qu'un homme, président d'une centrale syndicale, affirme qu'en général les femmes ne sont pas fiables. Qu'est-ce
qui se passerait? Ce serait l'hallali, mon vieux!
Manchettes garanties dans tous les journaux,
éditoriaux courroucés, crucifixion du vilain. Le
sale mec serait forcé de démissionner sur le
champ et étiqueté une fois pour toutes comme
macho irrécupérable. Vomi.

Lorraine Pagé pourtant s'est permis une déclaration bien pire encore. La vie, nous dit-elle,
n'est pas très en sécurité dans les choix des hommes. Tous les hommes sont visés et pas sur un
détail. La vie. Quelques jours après la tuerie de
Polytechnique, cela veut dire que tous les hommes sont plus ou moins assimilés à l'auteur du
massacre.

Qu'est-il arrivé à Lorraine Pagé après sa déclaration? D'abord, je présume qu'elle a été ap-
plaudie. Ensuite, rien. Pas de méchants éditoriaux, pas de demandes de démission, rien. Il est
normal qu'une présidente de centrale syndicale
fasse une déclaration aussi outrancière sur les
hommes.

Pourquoi est-ce normal pour une femme et
pas pour un homme?

Pourquoi avoir fait un procès au juge Dionne
et laisser Mme Pagé déclarer en public son mépris des hommes?

Parce que nous vivons dans le tabou. Parce que Lorraine Pagé s'en est prise aux «mâles», ce qui est accepté. Le péché, c'est de tenir des propos équivalents sur les femmes. Tout ce que peut dire un chef de centrale syndicale sur les femmes en général ne peut être que positif.

Lorraine Pagé savait qu'elle pouvait lancer, sans conséquence pour elle, n'importe quelle injure sur les hommes.

Moi je dis à cette dame qu'elle a proféré une grossièreté. Son jugement sur les hommes est à classer dans la catégorie des propos racistes. J'ajoute que les commentateurs publics auraient dû faire leur job: depuis quand laisse-t-on passer pareils propos sans réagir?

Depuis qu'on est dans le tabou, mon vieux!

Tout ce qui s'est publié à la suite de l'affaire de Polytechnique a été couvert par le tabou. On a pu lire dans les journaux les propos les plus extrêmes, sans l'ombre d'une réplique. Une vraie kermesse: le lancer de l'injure tous azimuts.

Je relève ces propos plus loin dans ce livre.

*Un immense mensonge*
L'existence du tabou ne veut pas dire que le féminisme doctrinaire est accepté par l'ensemble de la population. Au contraire. Les causes sacrées s'imposent autrement que par l'appui populaire.

Souvenons-nous du gauchisme. Cette bannière sacrée anti-impérialiste rassemblait peu de monde. Elle a pourtant réussi à faire taire ses contradicteurs et à imposer ses rites de langage. Il était fort mal vu, parmi les beaux esprits, de n'être pas anti-impérialiste, de ne pas payer son tribut verbal à la libération des masses populaires.

De quelle façon impose-t-on un tel tabou?

Par la culpabilisation. Cette torture morale consiste à se hisser en héraut de la bonne cause et à placer l'autre dans le rôle du salaud. Comment peut-on être pro-impérialiste? A-t-on l'âme assez noire pour se ranger du côté des exploiteurs?

Le candidat au rôle de salaud est lui-même très vulnérable. Il a une bonne job, une belle maison, une belle auto, il boit de bons vins et accumule une belle rente. N'a-t-il pas honte? Ne voit-il pas qu'il est objectivement du côté des oppresseurs?

Il se repentira. Il se procurera un kit de rédemption.

Il pourra alors jouer son nouveau rôle de diverses façons.

Le minimum consistera dans la rédemption passive. C'est le pécheur repenti et silencieux. Il laissera proclamer la parole sacrée sans s'y opposer. Son syndicat l'appellera «camarade». Pourquoi pas! Il n'est pas célébrant mais il respecte le tabou.

Ils seront nombreux comme lui. Les célébrants accapareront donc le discours public.

Au mieux, notre salaud repenti sera célébrant actif. Traître à sa classe. Les pieds à Outremont mais la gueule à la taverne. Il devient alors «compagnon de route». Il s'est racheté.

Voilà donc comment, en gros, un tabou s'installe, par la culpabilisation et l'instauration d'un langage sacré. Il neutralise ceux qui tiennent le discours public. Il a finalement peu de véritables célébrants mais réussit à convaincre ses contradicteurs éventuels de leur statut de salaud. Le tabou est un immense mensonge.

Ce que je viens de décrire, en m'inspirant du gauchisme, appartient déjà au passé. Le gauchisme ne recrute plus que quelques dinosaures sans intérêt.

Mais le «pattern», lui, est éternel.

S'il est plus aisé de le décrire en se rapportant au gauchisme, c'est que ce dernier est derrière nous et qu'il offre donc l'avantage de la distance.

Le «pattern» (disons le patron, comme en couture) du tabou n'est pas prêt de mourir car il est trop commode pour les défenseurs zélés de toutes les bonnes causes, pour tous les marchands de rédemption. On fera encore bien des kilomètres avec ça.

Et c'est ce que font les doctrinaires du féminisme. Elles ont repris à leur compte le bon vieux patron du tabou.

Tout y est: la culpabilisation des «salauds», le discours érigé en idéologie sacrée, le silence imposé et même les compagnons de route.

Le féminisme doctrinaire n'a pas plus d'adeptes que jadis le gauchisme. Mais il permet à ses porte-parole d'écrire et de dire n'importe quoi, de tenir sur les hommes, pris globalement, les propos les plus outranciers et même les plus racistes. Personne ne répond. Toute réponse condamne à l'avance celui qui la formule. Les «coupables» se taisent, certains qu'ils sont d'être rangés automatiquement au rang des batteurs de femmes, des machos, des misogynes, bref des salauds.

Il y a plusieurs années que, médusé, j'observe ce phénomène. J'ai vécu la belle période du gauchisme (surtout les années 70) dans des milieux où le grand tabou faisait ses ravages. Les grands prêtres du mensonge, généralement issus des milieux aisés, construisent leur succès sur la passivité de leur milieu.

### Le monstre ordinaire

J'avais osé affronter le tabou en 1988 en répondant dans La Presse à une chronique de Francine Pelletier. Cette journaliste commentait la mort en prison d'un personnage que l'on nommait «le monstre de l'Acadie». Le dit monstre avait agressé sexuellement une vingtaine d'enfants.

Mme Pelletier trouvait que ce monstre n'avait rien d'exceptionnel. «Un monstre bien ordinaire», nous apprenait le titre de la chronique: le comportement de cet homme n'avait rien d'extraordinaire, ce n'était pas un monstre mais un représentant normal d'une espèce qu'on appelle les hommes. Les hommes sont violents et celui de l'Acadie ressemblait aux autres (chronique du 13-11-88).

Un grand journal publiait une telle chose et il aurait fallu se taire.

Imagine-t-on le même journal publier un texte équivalent sur les Noirs, les Juifs, les Arabes... ou les femmes? Imaginons un instant: un Noir, dont les crimes seraient particulièrement odieux, reçoit le qualificatif de «monstre de Saint-Glinglin.» Chronique dans le journal: un Noir comme les autres.

Jamais on ne verra cela. Mais sur les hommes, on le voit et le lit: le tabou suspend les jugements normaux et instaure un nouvel ordre du bien et du mal.

J'ai écrit un texte en réponse à cette chronique qui fut publié un bon mois plus tard. La chroniqueuse le prit mal: dans une nouvelle chronique, je fus accusé d'être un vieux schnock d'avant la révolution féministe. Il aurait fallu accepter le procès que l'on me faisait à travers le monstre de l'Acadie et me taire.

*Vos gueules!*

Car tel est le message qu'on ne cesse d'envoyer aux hommes: vos gueules!

Il est remarquable de constater que rien ou

presque ne s'est écrit pour dénoncer les abus de langage féministes. Les hommes se taisent.

Veut-on savoir ce qu'ils pensent du procès qu'on leur fait? On ne trouve à peu près rien. À la suite du procès de culpabilité collective fait aux hommes après la tuerie de Polytechnique, Jean Paré dans l'Actualité a dénoncé ce procédé odieux. Monique Bosco, professeur d'université, l'a traité de violent. Jean-Paul Desbiens, dans un texte remarquable (*La consommation de l'horreur*, dans La Presse du 21-12-89), a répliqué lui aussi au «charriage» du discours féministe. Il a eu droit aux titres d'affreux loup-garou, d'inquisiteur et de misogyne, par la grâce encore de la même gardienne du discours sacré.

Toute contestation du grand tabou vous méritera le qualificatif de misogyne. Moi, mon choix est déjà fait: je suis un salaud.

On peut aussi choisir d'être un chien. Grand prêtre du tabou gauchiste, Jean-Paul Sartre avait décrété qu'«un anticommuniste est un chien». Notons au passage que des hordes de chiens ont déferlé depuis un an sur l'Europe de l'Est. On ne respecte plus rien.

Qualifiés de misogynes, de criminels, d'inquisiteurs, de violents, les hommes se taisent. Ils ont acquis le sentiment qu'il est interdit de contester ouvertement ce discours féministe. Ils savent d'avance ce qui va leur tomber sur la tête. S'il y a un vide de la parole des hommes devant le féminisme, c'est à cause du mensonge engendré par le tabou. On a tellement culpabilisé les hommes qu'ils préfèrent le silence.

### Le compagnon de route

Pardon! Tous ne se taisent pas. Toute bonne cause a ses compagnons de route. Ha! les ineffables compagnons de route. Il s'agit d'un animal vraiment particulier. Une sorte de chien repenti.

Le compagnon de route est une conscience malheureuse. Il est né du mauvais bord, celui des salauds. Et sa vie consistera à racheter cette faute originelle. Sartre était le type même du compagnon de route. Né bourgeois, il était à jamais exclu du cercle sacro-saint des vrais prolétaires. Tout au plus pouvait-il accompagner les vrais prolos sur la route du salut. Dans tout compagnon de route, il y a du Simon de Cyrène, le célèbre Lybien qui aida Jésus à porter sa croix.

La culpabilité existentielle du compagnon de route en fait un imprécateur redoutable, un être retentissant de repentir et d'anathème. Il est en général plus méchant que ceux qu'il accompagne. Les chiens et les salauds n'ont qu'à bien se tenir!

Tabou bien structuré, le féminisme doctrinaire a donc ses compagnons de route. L'un d'eux, le professeur Dorval Brunelle, a lancé, après la tragédie de Polytechnique, dans un moment d'excitation suprême, que «tous les hommes sont coupables». Le compagnon de route est toujours trop heureux d'extraire de son armoire de sacristie, comme un ornement des grands jours, la sombre tunique de la conscience malheureuse.

Le bonheur suprême pour le compagnon de route serait bien sûr de changer de peau et de quitter l'enclos des salauds où l'a jeté sa naissance. C'est ce qu'entrevit Maurice Champagne, qui se conjuguait jadis sous la forme de Champagne-Gilbert: il espérait qu'un homme puisse un jour donner naissance à un enfant. À ce jour, l'Esprit Saint, dont les exploits en matière de reproduction sont bien connus, n'a pas encore daigné réorienter ses opérations en ce sens... Le compagnon de route, en tous les cas, ne nous a pas informés de «l'annonce faite à Maurice»...

### Un monde manichéen

La Presse publie le dimanche une page écrite par des jeunes écoliers. Le 11 février 1990, on retrouvait côte à côte un articulet d'une cégépienne et un autre d'un écolier de polyvalente.

Ce dernier écrit, sur le ton de l'évidence, que «comme nous le savons tous, la femme a été pendant des siècles au service de l'homme». Autre temps, autre catéchisme. Rangeons cela dans le tiroir «dévotion».

Mais on ne lui aurait certainement pas permis d'écrire sur les filles l'équivalent de ce qu'affirme la collégienne: «Prétentieux, ambitieux, indépendants, égocentriques. Voilà quelques adjectifs que l'on peut attribuer aux gars. Si ces adjectifs ne vous conviennent pas, vous les filles, pour exprimer ce que vous pensez d'eux, alors choisissez-en d'autres parce que ce sont les seuls mots que j'ai pu trouver pour les décrire.» Rangeons cela dans le tiroir du féminisme bien compris.

Le tabou idéologique est une sorte de baguette magique qui transforme la mesquinerie en bravoure. Il permet toutes les transgressions pourvu qu'elles aillent dans le bon sens.

On a pu lire dans les journaux, pendant des années, des chroniques féministes où l'on se permettait n'importe quoi. J'ai encore sous les yeux une de ces chroniques de la belle époque avec un titre comme une bannière de procession: «Les femmes en ont assez de conjuguer à tous les temps le verbe aimer-à-sens-unique». Sans blague!

Dans une autre chronique, on apprenait qu'il y avait des viols «tous les jours à tous les coins de rue». Où, dans un journal, aurait-on pu, ailleurs que sous la bannière du féminisme, se permettre une telle outrance?

Il va de soi que le monde est hostile, l'homme égoïste et cruel et que la femme s'y trouve comme une victime innocente en quête d'amour.

Les tabous créent toujours un monde manichéen. À côté des sombres oeuvres du mâle de l'espèce, apparaît l'oeuvre salvatrice des femmes. Une interview de Marilyn French publiée dans La Presse du 7 juin 1990 m'apprend que «tout ce que font les femmes est bien de toute façon». Ben voyons!

Il faut lire dans «Polytechnique, 6 décembre»[1] les articles publiés par les auteurs féministes sur la violence dans notre société. Les Louky Bersianik, Simone Landry et autres vous feront frémir. Nous vivons dans l'enfer, mes enfants! À côté de ces récits, la description de la bataille de Stalingrad pourrait s'intituler «Les vacances de l'Armée rouge».

Les médias font leur part dans la description de l'enfer. On y trouve une véritable obsession sur les crimes à caractère sexuel. Comme si nous vivions dans une société qui s'en fait une spécialité. Ici on viole, on agresse, on bat et on «hache menu», comme dit le chat botté. Pourquoi n'y a-t-il aucune obsession sur les suicides du métro? Sur le désespoir?

On lira bien sûr à la fin de l'année que la «violence faite aux femmes» a atteint de nouveaux sommets. Évidemment! Le tabou est servi. Pourtant une étude sérieuse des statistiques nous démontre que la violence est en régression et que ce sont les hommes qui en sont les premières victimes. La question de la violence en est une des plus galvaudées par le discours idéologique féministe. Sa façon d'aborder le problème des femmes battues relève de la fraude intellectuelle. On tripote les statistiques, on joue sur le sens des mots et l'on aboutit au résultat souhaité: nous sommes un pays de batteurs de femmes.

Personne ne conteste. Tabou! Mea culpa!

J'examine dans ce livre la question de la violence, tant le contenu du discours féministe que les chiffres. Il y a bien des mythes à dégonfler.

### Mister Hyde

J'ai été, il y a quelques années, tuteur pour des stagiaires africains en journalisme. Il y avait à ce moment-là une telle campagne au sujet des femmes battues, que certains stagiaires m'ont posé des questions, un peu gênés d'ailleurs d'aborder un sujet qui avait l'air d'une véritable honte nationale. Ils avaient l'impression que la règle ici était sans doute de battre sa femme comme on fait prendre l'air à son chien.

Quiconque débarque ici et s'en tient à la littérature féministe, en conclut que le Québec est à peu près l'équivalent pour les femmes de ce que fut la Kolyma pour les adversaires de Staline. La survie y tient du miracle. Encore beau qu'il nous reste quelques increvables «femelles» pour témoigner du carnage.

C'est à se demander quelle drogue euphorisante ont bien pu avaler les étrangères qui débarquent ici et qui trouvent que le Québécois est un des hommes les moins machos de la terre. Il en serait même un peu timide. Partout où les Québécois se retrouvent dans le monde, on les trouve plutôt doux, tolérants, peu portés sur les «trips» de pouvoir. Le «mâle» québécois serait-il donc une sorte de Docteur Jekyll et Mr. Hyde? Ange à l'étranger, monstre dans son pays?

Ou peut-être assistons-nous au même phénomène que dans les années 60-70, lorsque les Sartre et compagnie ont pu profiter de l'extrême tolérance des sociétés démocratiques pour tenir les propos les plus extravagants et justifier tous les terrorismes?

Parmi les terrorismes, il y a celui de la parole et il a tendance à fleurir là où il sait qu'on ne lui appliquera pas ses propres règles. Dans les sociétés oppressives, l'opposition est une chose sérieuse et ceux qui la pratiquent tiennent en général des propos responsables et réalistes. Les dissidents des anciens régimes communistes ne sont jamais tombés dans l'outrance verbale des gauchistes occidentaux. La parole y gardait tout son sens et tout son poids.

Si les idéologues du féminisme peuvent décrire les hommes d'ici comme des masses de petits Marc Lépine, des monstres toujours susceptibles de liquider femmes et enfants - et tel est leur propos-, c'est qu'elles n'ont jamais vraiment senti le poids de l'oppression. On ne peut être aussi globalement injuste que dans la gratuité et le sentiment de l'impunité.

Ce n'est pas un hasard si les propos les plus outranciers proviennent des enceintes douillettes des universités. Quand on a assis sa ferveur révolutionnaire dans le fauteuil de la sécurité d'emploi à vie, il ne reste plus qu'à tirer par les fenêtres du château.

### La dévotion

La dévotion a atteint un point culminant dans les mois qui ont suivi la tuerie de Polytechnique. En l'espace de quelques semaines, en mars et en avril 1990, on a vu un grand journal comme La Presse consacrer dix pleines pages aux thèmes féministes, comme si nous étions à un tournant de l'histoire. Quels événements cruciaux justifiaient une telle étendue de textes? Aucun. Il s'agissait d'une fête institutionnalisée, le 8 mars, et de la célébration du 50e anniversaire du droit de vote des femmes. Que l'on souligne ce genre «d'événements», d'accord. Mais que l'on y ait consacré plus d'espace et de commentaires qu'aux événements d'Europe de l'Est, à l'historique automne de 1989, révèle à quel point les esprits perdent toute balise normale quand il est question du discours féministe.

Le monde a tourné à l'automne 89. Jacques Julliard et Edgar Morin y placent la borne finale du 20e siècle. Une ère nouvelle a commencé, le monde ne fonctionne plus comme avant. Les grands journaux ont consacré des ressources considérables pour couvrir et expliquer ces événements jusqu'au printemps de 1990. C'était justifié: le 20e siècle se terminait sous nos yeux.

Ici, on se concentre sur la question des femmes, sans grand événement justificatif, sans crise, mais avec ce sentiment diffus de la culpabilité et de l'hommage réparateur après le tuerie du 6 décembre. Dévotion.

### L'idéologie

Ce qui m'intéresse, ce n'est pas le mouvement féministe. Comme le mot le dit, un mouvement est une marche, une progression vers l'acquisition et l'exercice réel de ses droits. En ce sens, le mouvement féministe s'inscrit dans la logique même de la démocratie libérale et rien ne l'arrêtera. Mon but n'est pas de discuter ou d'évaluer ce féminisme-là. Il se défend très bien sans moi.

Peut-on contester, par exemple, la réévaluation du contenu des emplois dans la fonction publique: pourquoi une infirmière gagnerait-elle moins qu'un plombier? Voilà quelque chose de concret.

Ce qui l'est beaucoup moins, c'est le discours idéologique sur le pouvoir, la violence, le savoir et finalement sur la nature de l'homme.

Que nous dit-on? Que l'homme est dévoré par la soif du pouvoir, qu'il en a fait le but ultime de l'existence et même un culte. Tout est sacrifié à cette poursuite obsédée.

Cette maladie a tout perverti. L'homme s'est mis à tout dominer et tout dégrader. Aucun respect de la femme, viol de la nature, soumission du savoir au pouvoir, violence généralisée. Bref: agression, domination, mort. C'est ce que Lorraine Pagé appelle «les choix des hommes».

Cette doctrine féministe s'exprime le plus souvent dans une langue outrancière, violente et accusatrice. Il y en a de beaux exemples dans les discours entendus et lus depuis le 6 décembre 1989: Marc Lépine, le tireur de Poly, a agi comme agissent quotidiennement tous les hommes. Les attaques qu'on se permet contre les hommes et que les journaux publient sans sourciller dépassent en sectarisme et en violence tous les discours plus ou moins racistes que l'on peut entendre dans notre société.

Devant ce monstre quotidien qu'est l'homme, voici la femme, foncièrement bonne, douce, humanisante, réformatrice du savoir, respectueuse de la nature et de la vie. C'est ce que Lorraine Pagé appelle «les choix des femmes».

Qui nous apporte les belles valeurs qui sauveront l'humanité du pouvoir mâle? Le féminisme. C'est là qu'est le salut.

Voilà donc comment s'articule ce que j'appelle l'idéologie féministe.

Une idéologie, c'est-à-dire un système d'idées érigé en doctrine fermée, en pensée mécanique. L'idéologie se traduit en langue sacrée, genre langue de bois magique: «valeurs patriarcales» «phallocentrisme», «violence faite aux femmes», «choix des femmes», etc.

L'idéologie est toujours manichéenne (elle incarne la vie contre les forces du mal) et elle rend aveugle. À tout le moins elle impose des oeillères strictes. Dans «La fascination du pouvoir», Marilyn French réduit l'histoire des civilisations et l'évolution de la connaissance au simple développement, sans cesse plus raffiné, du culte du pouvoir. Même la littérature, faite par les hommes, y est ramenée à un contenu mécaniste et dépourvu de sensibilité.

L'idéologie rend bête.... mais elle rend aussi bien des services.

Elle met à la disposition des esprits militants des formules toutes faites.

Elle élimine le doute, elle explique tout, elle a réponse à tout. Avec votre kit de trois ou quatre idées sur le patriarcat, vous découvrirez la logique secrète de l'histoire de l'humanité.

Elle permet à des intellectuels d'exercer leur pouvoir sur les esprits. Elle autorise une authentique forme de terrorisme: qui ne pense pas comme nous est un chien.

Enfin, par sa nature de vérité incontestable, elle permet les défoulements de groupe. On rejette sur les chiens la responsabilité de ses problèmes et de ses défaillances personnelles.

*

Voilà donc pourquoi il me paraît évident qu'il s'est créé un très fort tabou féministe.

Les dévotes qui mènent cette cabale nous disent qu'au contraire, on tait leur propos, qu'il y a une grande conspiration du silence sur la question des femmes.

En fait, les journaux suivent de près, depuis plusieurs années et souvent avec zèle, toutes les manifestations et les campagnes autour de la cause des femmes. Les «femmes battues» et les quelques autres qui ne le sont pas encore n'ont jamais eu autant de presse. J'ai passé des journées à fouiller dans les coupures de presse du Conseil du statut de la femme à Québec. La matière est archi abondante.

Les doctrinaires du féminisme sont en tout point semblables aux gauchistes de jadis. Elles ont réussi à faire taire l'opposition à leur discours, en culpabilisant par avance les contradicteurs, mais elles soutiendront toujours qu'on les persécute.

Elles prétendent, par exemple, n'avoir pas été entendues à la suite de la tuerie de Polytechnique. «Les médias, écrit Andrée Côté, ont évacué l'expertise féministe en matière de violence masculine» [2]. Quiconque prendra la peine, comme moi, de réunir les coupures de presse, constatera tout de suite le contraire. Il comprendra surtout que «l'expertise féministe» n'est rien d'autre qu'un procès contre tous les hommes, accusés globalement d'assassinat contre la femme et contre la vie.

«Il y a des salauds quelque part», écrit Nicole Brossard.

Ne cherchez plus! En voici un et il parle.

# Le procès de l'homme

*«Ce jour-là, je marchais lentement, fidèle à cette habitude que j'avais prise de ne regarder que les femmes, comme pour me rassurer sur l'humanité.»*

Nicole Brossard

«Un jour, un jugement sera rendu par une Dame Salomon. Elle tranchera le différent entre les sexes en renversant la situation tout simplement. Puisque l'Homme se distingue par sa force musculaire et son agressivité maladive, qu'il serve aux travaux d'Hercule et qu'il s'exhibe dans les foires.

«Et puisque la femme se distingue par ses qualités humaines, que ce soit elle qui gouverne le monde». [3]

Le féminisme a instauré un véritable procès de l'homme.

Les Dames Salomon ont instruit le procès sous deux accusations majeures: violence généralisée et culte du pouvoir. Suivent des chefs d'accusation subsidiaires sur le savoir, la littérature, la langue, bref sur à peu près toutes les oeuvres du Vilain. Nous examinerons une à une les pièces du procès en commençant par la question de la violence.

Mais avant tout, il faut s'informer sur le contexte général du procès lui-même. Cela ressemble à une procédure d'Inquisition. Le Grand Inquisiteur jugeait du haut du trône incontestable du bon droit que confère la possession de la Vérité. Devant lui, l'Erreur, qui n'a pas de droit. Le Bien, le Mal.

Cela porte un nom: le manichéisme, soit la division du monde en bons et méchants. Tout le procès de l'homme sera fait sous le signe du manichéisme. Même en littérature, la Dame Salomon rejettera les oeuvres prétentieuses des hommes pour nous faire découvrir la parole nouvelle des femmes.

Le plaidoyer féministe nous enseigne en gros que les valeurs des hommes sont celles de la domination, de l'agression et de la destruction. Les femmes incarnent, par contre, des valeurs de vie, de douceur et de compassion. Le mythe du bon sauvage qui fut tant en vogue au 18e siècle s'est converti en mythe de la femme bonne.

Ce mode simpliste de pensée n'est pas propre au féminisme. Les idéologies fonctionnent habituellement sur le même principe. Le nazi a eu son juif, le communiste son ennemi de classe, le gauchiste son impérialiste. La mobilisation des esprits ne saurait se faire, dirait-on, sans l'existence d'un grand Satan.

Le grand Satan du féminisme fait la guerre,

bat les femmes est assoiffé de pouvoir, détruit la planète, pervertit l'art et la connaissance. C'est l'homme, c'est tous les hommes de tous les temps dont Marc Lépine n'est rien d'autre qu'une copie conforme.

Certaines Dames Salomon réclament, pour la forme, une enquête avant le procès. En décembre 89, Monique Bosco lançait une pétition pour exiger une enquête publique sur la tuerie de Polytechnique. Une enquête pour éclaircir quoi? La pétitionnaire ne le dit pas. Mais trois mois plus tard, elle écrit que «le grand tabou, aujourd'hui, me paraît être, en cette affaire, celui entourant le comportement masculin face à la violence»[4]. Voilà donc l'objet de «l'enquête»!

Armande Saint-Jean, elle, n'a pas besoin d'enquête pour soulever l'hypothèse d'un complot d'extermination contre les femmes: «Il est inquiétant de constater la suprématie totale qu'exercent les mâles sur les sciences de la reproduction: insémination, culture de semences, fécondation en éprouvettes, cloning, etc. Le raffinement est tel qu'on peut craindre des menaces comme un éventuel gynocide ou une diminution importante de la proportion des femmes dans la société»[5]. Nous venons de quitter Salomon pour le chapitre de l'apocalypse.

Dans «Polytechnique, 6 décembre», Louky Bersianik, convertie cette fois en Dame poétesse, verse au dossier un édifiant plaidoyer.

*Le coeur flambant neuf*
*la cervelle rongée*
*par vingt cinq siècles de haine*
*...*
*Il y a un jeune homme qui t'aime*
*vêtu de terreur blanche*
*Ne cours pas à sa rencontre*
*ne tremble pas à sa vue*

*Il ne cherche que l'effroi*
*Il n'a qu'un seul désir*
*voir monter dans tes yeux*
*l'absolu de la peur*
*...*
*Il y a un chacal qui t'aime*
*dangereusement*
*Il veut toucher ton coeur*
*et s'apprête aujourd'hui*
*à le cribler de balles*
*...*
*Attention*
*il y a un garçon qui t'aime*
*éperdument*
*tu es en danger*

*Il est né de l'homme sans fin*
*de la nuit des hantises*
*acharné à te détruire*
*de fond en comble*
*depuis ton premier jour*

*Ton corps est la portion*
*privilégié de l'espace*
*qu'il a choisie*
*pour t'anéantir*
*Il s'est donné pour mission*
*de nettoyer l'espèce*
*de ta tenace existence*

Au cas où le message ne serait pas encore assez clair, l'illustre poète nous en explique le sens quelques pages plus loin: «Est-ce l'amour que les hommes veulent détruire? Ces hommes qui nous haïssent jusqu'à nous tuer, nous leur avons donné l'hospitalité de notre corps alors qu'ils n'étaient rien, nous leur avons distribué chaque jour des parcelles de notre chair et de notre esprit pour qu'ils puissent venir au monde, nous les avons protégés, ils se sont nourris de notre humanité et de notre amour. On dirait que l'amour le plus grand, même le moins envahissant, ils ne supportent pas. Ils nous entraînent malgré nous dans une danse macabre, un pas en avant, deux pas en arrière, et nous jettent aux oubliettes ou dans la fosse aux lions avant la dernière mesure» [6].

En un mot, des sans-coeur! Suit évidemment l'inévitable couplet sur la «violence généralisée» qui n'atteint que les femmes. Comme ça, c'est complet.

Dans Le Devoir du 20 décembre 1989, une lettre de Paul Chamberland nous campe à la per-

fection le manichéisme le plus classique:
«L'éthique de la violence, désormais carrément
affichée, est celle des mâles telle qu'elle se
reproduit sans interruption depuis des millénaires d'ordre patriarcal». Des brutes de père en
fils, quoi! Quant aux femmes, ce sont des anges
de mère en fille: «Avec les femmes, c'est l'élé-
ment, la puissance du féminin du monde qui se
trouve menacée. L'harmonie, la fécondité, la
compassion, l'intelligence du coeur». À vous
faire regretter d'être né homme.

Elaine Audet, auteur, nous explique à quel
point la vie est étrangère à l'homme: «Pour
l'homme patriarcal, l'urgence n'est pas la mort
lente de la planète causée par la pollution ou la
menace d'une catastrophe nucléaire, mais la vie
qui pousse dans les fissures du système d'exploitation, cette vie qui n'a de sens que dans son
mouvement de renouvellement, continuité que
les femmes portent en elles et plus loin de génération en génération, et dont la nature a privé les
hommes. Aliénation du cycle reproductif qui
expliquerait peut-être leur misogynie...»[7] Un peu
plus loin, notre auteur lance une sommation: «Il
importe plus que jamais que nous sachions, femmes et hommes, de quel côté nous nous situons,
celui de la vie ou de la mort».

Pour les hommes, on nous le répète assez
dans ce livre, la question est réglée.

Suzanne Boisvert nous apprend dans le numéro 12 de La Vie en Rose que «les hommes

nous mentent, qu'ils nous violent, qu'ils ont une haine profonde pour les femmes». C'est d'ailleurs dans ce beau texte qu'elle propose l'usage de la violence contre les hommes.

Le procès de l'homme est d'abord basé sur le constat de la misogynie universelle, véritable péché originel masculin. Germaine Greer écrivait en 1970 dans «La femme eunuque»: «Les femmes ne se doutent pas à quel point les hommes les haïssent». Le thème revient constamment sous la plume de Nicole Brossard.

### Le lesbianisme

Cette militante a converti son refus des hommes en valeur féministe universelle. Rendu là, l'attaque se situe au niveau du sexe de l'homme: «Il y a des salauds quelque part. Et c'est comme par hasard, au plus près d'elles que les femmes les retrouvent, c'est-à-dire dans leur lit. Et si la colère commençait là comme tout le reste, c'est-à-dire, le pouvoir «machinal» de l'homme. Ce n'est pas dans leur dos que les hommes recevraient les coups d'ongles long-zézérotiques. Mais plutôt là où le pouvoir se durcit.» [8]

Un lesbianisme agressif imprègne une large part du discours féministe doctrinaire.

Qu'on lise ce qui s'est écrit à la suite de la tuerie de Polytechnique: une répulsion viscérale des hommes suinte dans plus d'un texte. Pour plusieurs, l'hétérosexualité est synonyme d'exploitation et de domination. L'ennemi, c'est l'homme. Dans La Presse du 6 juin 1990, Michelle Causse dit «admirer le courage des autres femmes, celles qui acceptent de vivre chaque jour avec l'ennemi». J'ai lu dans un numéro de La Vie en Rose que «l'amour (hétérosexuel) est un leurre qui mène les femmes tout droit à l'esclavage» (juin 1982, p.37).

Cela dit, la question ici n'est pas de savoir dans quel sens il faut prendre cupidon. Chacun ses goûts. Certaines féministes aiment bien voir un complot anti-lesbiennes, partie d'un plus vaste complot contre l'autonomie des femmes. Le lesbianisme, en tant que rejet des hommes, serait la menace des menaces au pouvoir masculin. Ce n'est pas une bien grosse menace ... il suffit de regarder ailleurs.

Les délires verbaux faits au nom de l'idéologie sont toujours suspects. Il me semble clair que le procès fait aux hommes s'inspire d'une agressivité qui ne trouve pas ses explications dans des causes objectives. Quand des auteurs s'en prennent agressivement au sexe de l'homme et qu'on nous colle là-dessus l'étiquette du féminisme, je dis que c'est de l'escroquerie. Le féminisme a bon dos.

# La violence

*De nos jours la mentalité magique, enfin chassée des sciences physiques, s'est réfugiée dans les choses sociales.*

— Gaston Bouthoul

*La violence est un domaine où l'irrationnel tend spontanément à l'emporter sur le rationnel.*

— Jean-Claude Chesnais

# 1. LA MENTALITÉ MAGIQUE

Le discours féministe sur la violence tient à la fois de l'exercice incantatoire et de la conjuration du vilain.

La parole incantatoire est une arme essentielle de l'arsenal des religions et des bonnes causes. La répétition y joue un rôle clé: litanies, chapelets, récitations sans fin des Haré Krishna, etc. Les bonnes causes ont compris la puissance du procédé et ont inventé le slogan, répété à satiété dans les manifestations.

L'expression «la violence faite aux femmes» appartient à la littérature incantatoire. On la répète partout, elle accompagne tous les commentaires sur les faits divers où les victimes sont des femmes. Toutes les statistiques prouvent que les hommes sont plus souvent victimes de violence que les femmes (voir la partie sur les statistiques). On ne parle pas de «la violence faite aux hommes». L'homme n'est pas une cause. Les formules magiques appartiennent au monde du tabou et des choses sacrées. Dans les belles années du conformisme de gauche, on parlait «d'anti-communisme primaire» mais on n'a jamais inventé l'expression «anti-capitalisme primaire». Les formules magiques sont bien l'expression de la pensée magique. Lire les publications féministes sur la question de la violence équivaut pour un homme à ce qu'était le passage d'un piéton la nuit dans les rues de la Rome antique. Il reçoit sur la tête le contenu des pots de chambre balancé par les fenêtres.

C'est simple: tous les hommes sont des salauds, coupables de «la violence faite aux femmes quotidiennement sous toutes ses formes».[9]

La culpabilité des hommes est universelle. Tous coupables et tous complices. L'homme ne peut donc pas se taire. Il doit se déculpabiliser. C'est bien ce qu'écrit une dame de l'Assomption dans une lettre à La Presse:

«Si j'étais un homme, je joindrais ma voix à celles des femmes qui s'élèvent contre les violeurs, les kidnappeurs, les batteurs de femmes et d'enfants. Parce que si j'étais un homme, j'en aurais assez de passer pour un violeur potentiel, un kidnappeur en puissance, un batteur éventuel, tout simplement à cause de certains de mes confrères qui nuisent à la réputation masculine. Mais je ne suis pas un homme et je ne comprends pas que la solidarité entre gens du même sexe soit plus importante que sa propre réputation, que ses propres relations avec les 52 p. cent de la population au féminin. Je suis néanmoins bien heureuse de ne pas faire partie de ce groupe minoritaire.»

C'est clair: les hommes se taisent parce qu'ils sont solidaires. Tous des salauds.

On retrouve une variante du même discours dans un article de Francine Pelletier paru peu après la tuerie de Poly (La Presse 9-12-89). «Il faudrait surtout que les hommes se lèvent une fois pour toutes et disent: trop, c'est trop! Ce massacre de femmes est totalement inacceptable. Le jour où beaucoup d'hommes se mettront à dire qu'ils ont peur eux aussi de ce genre de comportement, qu'ils en souffrent, qu'ils n'en veulent plus... c'est le jour où les choses vont commencer à changer. Pas avant.»

Les hommes sans doute n'ont pas encore leur ration de massacres!

Écoutons encore l'ineffable Chantal Daigle: «La violence, mettez-la de côté, les hommes!»

J'ai, bien sûr, été ébranlé par cet appel. Chantal Daigle...

Jamais à court d'énormités, Louky Bersianik écrit que le massacre des femmes dure depuis 25 siècles, que la violence est généralisée et n'atteint que les femmes. [10]

Faut-ti être pâmée! Reprends ton souffle, Louky Louke, tu as de bonnes chances d'échapper au massacre et de te retrouver petite vieille dans un monde où les hommes auront crevé dix ans avant toi.

À propos toujours de l'affaire de Poly, une dame Brais écrit dans Le Devoir du 8 janvier 1990 «qu'ils étaient plus d'un à tirer». Elle ne dit pas combien mais on a compris: tous des tireurs!

Nicole Brossard, elle, écrit que «Marc Lépine était aussi vieux que l'Homme et son mépris pour les femmes» (La Presse, 21-12-89). Donc, tous coupables et depuis des lunes, mon vieux!

D'autres en demandent un petit peu moins, comme cette dame Bédard qui écrit dans La

Presse (13-12-89) pour suggérer, comme le duo Champagne Chabot [11], que chaque homme prenne «une part de responsabilité». Une part seulement, pas tout le massacre, juste une part dans un massacre... comme c'est gentil!

Diane Lamoureux, professeur à l'Université Laval, nous faisait savoir, elle, dans une manifestation le 11 décembre 1989, que le geste de Lépine, loin d'être dément, servait à rappeler aux femmes que «n'importe quand et n'importe où, n'importe quel homme pouvait décider de les agresser et de les remettre à leur place».

N'importe quel homme. Tous des tueurs en puissance.

La tuerie est quotidienne ou presque, c'est Armande Saint-Jean qui nous l'apprend: «...il ne fallait surtout pas démontrer (à propos de Poly), faits à l'appui, qu'il s'agissait d'une tuerie qui reproduisait, à une plus grande échelle, une tragédie que plusieurs femmes, que toutes les femmes vivent de manière quotidienne. Très tôt, les hauts cris ont été jetés: il ne fallait surtout pas dire qu'en chaque mâle sommeille peut-être un Marc Lépine». [12]

Ce n'est pas rien écrire cela. Imaginez: la vie des femmes est une tragédie quotidienne et on réclame le droit de soupçonner la présence d'un massacreur dans chaque mâle! Et jamais personne ne conteste des discours aussi outranciers et même à la limite racistes.

Dans son livre «Pour en finir avec le patriarcat», Mme Saint-Jean nous avait déjà prévenus de l'existence actuelle et quotidienne de l'apocalypse:

«La violence est inscrite dans tous les instants de la vie des femmes», lit-on à la page 175. Voici maintenant pour le détail, deux pages plus loin: «Partout, tous les jours, des femmes se font siffler, pincer, tirailler, harceler, palper, mordre, dévisager, gifler, déshabiller, exposer, découper, fendre, lapider, ligoter, labourer, déchirer, enfoncer, défoncer, cisailler, clitoridectomiser, hystérectomiser, infibuler, lobotomiser, électrifier, brûler, tuer.»

Moi, ce que je préfère, c'est palper. Madame Saint-Jean m'apprend par ailleurs que j'applique ces sévices au nom de tous les hommes. «La liste est interminable des gestes dégradants et humiliants qui sont tous les jours posés par un homme au nom de TOUS envers une femme individuelle qui nous représente TOUTES.»

Revoilà donc le thème cher au féminisme et à toutes les pensées de type magique ou religieux: la culpabilité collective. Nous y reviendrons.

Simone Landry, professeur à l'Uqam, voit tellement de violence partout qu'elle fait des crises de phobies: «J'ai peur(...) J'ai peur pour moi, j'ai peur pour mes filles. Comme beaucoup de femmes, j'ai connu dans ma vie des périodes phobiques».

À partir de cette vie de panique, madame Landry juge que cette «lamentable fin de siècle» se caractérise dans toutes les sociétés par «la violence généralisée». [13] Toutes les études sérieuses disent le contraire mais madame Landry n'en a cure. Elle enseigne sans doute la panique. J'ai peur donc le monde est violent. En raisonnant comme cette universitaire, il faudrait mesurer le degré de sécurité du transport aérien par le degré de peur d'une grande partie des voyageurs. Ce serait évidemment l'hécatombe... et le contraire de la réalité.

Deux autres universitaires, Maria De Koninck et Diane Lamoureux, s'interrogent sur la santé démocratique d'une société où l'on «remplace la polémique par les armes dans l'enceinte universitaire. À cet effet, ajoutent les professeurs, nous souhaitons une implication des milieux universitaires dans la défense du débat comme mode de règlement des conflits sociaux». (Le Soleil, 15-12-89)

Heureusement qu'on a du monde savant! Ces gens-là, munis de bonnes «grilles d'analyse», ont observé ce qu'à peu près personne n'avait remarqué: que l'utilisation des armes est courante dans l'enceinte universitaire. On y tient de moins en moins de débats, on y échange plutôt des coups de feu. Un vrai western. Leur appel en faveur de la défense du débat arrive à point nommé. Comme j'ai souvent affaire à la bibliothèque de l'Uqam, je prendrai l'habitude de laisser mes fusils à la maison.

Mais je le ferai à mes risques. Car en réalité,

nous sommes en guerre. C'est Lise Rossignol qui nous tient au courant des hostilités. Cette dame s'occupe du Regroupement provincial des maisons d'hébergement et de transition pour femmes victimes de violence conjugale. Au sujet du geste meurtrier de Marc Lépine, elle dit que «le geste de cet homme est issu d'une société sexiste qui déteste les femmes». Un geste normal donc, dans une telle société. On tue, on viole, on bat à tour de bras. «C'est presque la guerre ouverte», nous informe madame Rossignol, correspondante de guerre.

Dois-je ranger mes fusils? Ce n'est pas sûr, car Denise Veilleux m'apprend dans une lettre au Devoir du 9 décembre 1989 que «la chasse aux femmes est ouverte à longueur d'année».

Dans le Montréal Mirror (14-12-89) Paula Sypnowich nous informe que le crime de Lépine à Polytechnique est tout ce qu'il y a de plus ordinaire: «Ce qu'il y a de bien plus important que l'aspect peu exceptionnel du criminel, c'est le caractère peu exceptionnel de son crime». Et la chère dame, convertie elle aussi en correspondante de guerre, soutient que ces meurtres sont le reflet de «la réalité quotidienne des femmes à Montréal». Est-ce assez fort de café ou si vous en redemandez?

À peu tout ce qui s'est écrit par ce type de féministes à la suite de la tuerie de Polytechnique est de la même farine: il n'y a rien d'exceptionnel au geste du tueur, c'est tous les jours que les femmes vivent ces situations. C'est la banalisation de l'horreur et de la démence meurtrière présentée comme comportement normal et quotidien de l'ensemble des hommes.

La palme de cette littérature terrifiante revient évidemment à une universitaire, ces gens qui en savent tant! Monique Bosco nous révèle qu'à la suite de la tuerie de Poly, elle a «rêvé à Auschwitz». «La marche vers le crématoire...» Il paraît qu'«un terrorisme nouveau a été inventé». Suit l'évocation d'Hiroshima, du Goulag, du Cambodge, des guerres de Corée et d'Algérie, des massacres de Katyn, d'Arménie, de My lai et d'Oradour. [14]

Madame Bosco crie bien haut «qu'on n'a pas le droit de banaliser un massacre semblable». Mais elle a le droit, bien sûr, de banaliser tous les massacres et les génocides du siècle en les ramenant au geste de Marc Lépine. Comprenne qui pourra! Professeur de littérature, madame Bosco est sans doute plus à l'aise dans la fiction... et plus spécialement l'épopée.

### Un discours accepté

Ce discours sur la violence généralisée, sur le martyre perpétuel des femmes et la culpabilité de l'homme s'est répandu dans les esprits. C'est presque devenu un lieu commun. Les médias le reprennent sans jamais le contester et même en rajoutent.

Le 13 mars 1990, deux jeunes femmes sont

assassinées dans une boutique de la rue Laurier à Outremont. Une femme qui travaille près de là confie à La Presse (15-03-90): «Que se passe-t-il dans la tête des hommes? (...) Ces choses-là n'arrivent qu'aux femmes».

Mieux encore, le 16 mars 1990, un journaliste de La Presse écrit sur ce double meurtre: «Elle (la vigile) visait à protester contre la violence faite aux femmes, dont la tuerie de Polytechnique, le 6 décembre, fut sans doute le triste apothéose et le double meurtre de mardi, la preuve d'une leçon non apprise».

Une leçon non apprise... Voyez-vous ça! L'homme tue, comme ça, naturellement parce qu'on ne lui a pas fait assez la leçon. Dans le cours de ses activités normales, l'homme promène son chien, va au dépanneur, tond son gazon et puis aussi entre dans des écoles ou des boutiques pour tuer des femmes.

Une leçon non apprise... Finira-t-on par faire comprendre à l'homme que tuer des femmes est plus grave que d'écraser des moustiques?

Le discours des féministes radicales a fait son chemin dans les esprits: il n'y a pas de déments, de détraqués, de monstres, il n'y a que des hommes ordinaires, violents et massacreurs. C'est exactement ce que contient leur discours. C'est un discours de nature raciste où les comportements criminels d'un petit nombre servent à instaurer la méfiance généralisée et même la haine des hommes.

*La pensée magique*

L'idéologie que l'on accole ainsi au mouvement féministe appartient à un autre âge, celui de la pensée magique.

Elle se caractérise par ce que j'appellerai le collectif totalitaire. Cette pensée tourne toujours, sous diverses formes, autour des mêmes thèmes: la culpabilité collective, la faute originelle, le rachat, le caractère sacrée de la cause, les tabous. On reconnaît là les éléments habituels de la plupart des religions mais on a vu au 20e siècle des militants «laïcs» reprendre les mêmes formes de pensée.

À côté de cela, la pensée «moderne» fait valoir la responsabilité inaliénable de l'individu, de la pensée et de la conscience personnelles.

Les références des féministes à la culpabilité collective sont continuelles. C'est un des pivots de leur argumentation. Le livre «Polytechnique, 6 décembre» contient le même message d'un couvert à l'autre: celui de la culpabilité générale des hommes dans le massacre perpétré par Marc Lépine. Monique Bosco écrit: «...le problème de la culpabilité est au coeur de cette affaire. La faute originelle, si on est croyant, nous enseigne que nous sommes tous coupables».

Tous coupables: voilà exactement ce que le professeur Dorval Brunelle avait à dire aux hommes.

À cette faute collective correspond évidemment une victime collective. C'est toutes les femmes que visait Marc Lépine, qui tirait au nom de tous les hommes. «Chaque femme a pleuré sa propre mise à mort symbolique», écrit Nicole Brossard.

Le recours à la faute collective est un procédé magique. Il s'apparente à la pierre philosophale que recherchaient les alchimistes du Moyen Age et qui leur aurait permis de transformer tous les métaux en or. La faute collective transforme instantanément et automatiquement tous les hommes en coupables, quel que soit leur comportement individuel. Je suis devenu coupable au nom d'une conscience collective qui s'impose de façon absolue.

C'est à ce type d'explication magique qu'avaient recours aussi les terroristes de la Fraction armée rouge lorsque, dans les années 70, ils mettaient des bombes dans des endroits publics pour tuer n'importe qui. «Nul n'est innocent», proclamaient-ils.

Cette «mystique» du collectif a parcouru tout le mouvement gauchiste dans la seconde moitié du siècle. C'est l'héritage direct du marxisme, dernière grande philosophie de type religieux avec sa responsabilité de classe et son salut collectif.

Maurice Champagne invite les hommes à marcher en silence dans la rue pour méditer à leur vieux péché de «rage contre les femmes». Sacrement du pardon, marche de la rédemption. Quiconque ne participe pas à la grande cérémonie du repentir a «perdu le privilège de regarder les femmes avec droiture» (Dorval Brunelle).

Greta Hofmann Nemiroff, professeur, raconte comment s'est vécu dans sa classe d'université le lendemain du 6 décembre. Quelques étudiantes s'expriment. «Les jeunes hommes de la classe, écrit-elle, demeurent silencieux. Je leur demande ce que signifie leur silence. Un des plus doux, un jeune homme placide, se lève brusquement. Frappant du poing la paume de sa main, il s'écrie: 'Jamais, de toute ma vie, je n'ai été violent envers une femme.' Je le crois; je comprends que les jeunes hommes se taisent parce qu'ils se sentent coupables par identification. Afin de transformer leur sentiment de culpabilité en action, je leur demande: Alors qu'est-ce que vous comptez faire?

«Le silence s'épaissit. Puis ils me demandent ce que je leur conseille de faire. Vous devez, leur dis-je, prendre position et avoir le courage de vos opinions...»[15]

Madame Nemiroff note enfin que seules les filles se sont rendues en chapelle ardente.

Tout est là. La culpabilité collective, le silence interprété comme sentiment de complicité avec la faute, la mise en demeure de se repentir, presque le chantage, l'invitation aux gestes rédempteurs... Ces jeunes gens se sont retrouvés, entre les quatre murs d'une salle de cours, dans la situation de tous les autres hommes. Madame Nemiroff interprète leur silence à sa façon. Je me permets de penser qu'ils ont aussi refusé le procès qui leur était fait là. Ils ont refusé de se laisser entraîner dans la grande trappe de la faute universelle. Le jeune homme qui répond que lui, il n'a jamais été violent avec une femme, apporte la seule réponse sensée au procès collectif: la responsabilité personnelle.

L'idéologie féministe que l'on nous charrie aujourd'hui est une pensée d'«ancien régime»: celui du dogmatisme.

Autrefois, une pensée sociale universelle s'imposait à tous. On était par exemple Français, catholique et royaliste. C'était, comme on dit aujourd'hui, un «package deal». On naissait avec ça comme on naît, paraît-il, avec la faute originelle. C'était pensé d'avance pour vous.

La société dogmatique vous englobe dans la croyance collective et fait de l'adhésion à cette croyance une condition d'appartenance sociale. Toutes les sociétés communistes étaient de ce type. Les sociétés musulmanes traditionnelles y appartiennent encore. Vous ne pouvez vivre en incroyant en Arabie saoudite.

Ce que je lis dans les écrits féministes appartient aussi à ce type de pensée. Vous ne pouvez «regarder les femmes avec droiture» si vous n'adhérez pas au credo impératif de la faute masculine collective et de la nécessité du geste rédempteur.

Il n'est pas étonnant de voir survivre ce mode de pensée. C'est encore celui d'une bonne partie de l'humanité et ce fut à peu près le seul jusqu'au 17e siècle. La vraie révolution des esprits a commencé à l'époque de Descartes, tant en France qu'en Angleterre et en Italie. Le philosophe français nous a laissé un message simple: penser par soi-même. Je suis le seul responsable de ce que je crois, la souveraineté de l'esprit est inaliénable. Nulle institution, nulle autorité ne peut penser pour moi ou servir de référence pour la vérité.

Si nul groupe ne peut m'imposer ses idées, il ne peut non plus me prêter de conscience de «classe». Il n'y a pas plus de vérité collective contraignante que de conscience collective au-dessus de la mienne.

Bien sûr, si je vois autour de moi un groupe humain persécuté et que je m'abstiens d'intervenir, mon abstention est un choix dont je porte la responsabilité.

En implorant chaque homme de se lever et de dire c'est assez, les idéologues féministes veulent, en plus que de nous vendre l'idée de la faute collective, nous convaincre de la réalité du massacre quotidien des femmes. Si si peu d'hommes se lèvent, c'est qu'ils ne croient pas à l'existence de ce prétendu massacre.

### La sécurité

Enfin, il me paraît clair que le partage des esprits ne se fait pas ici selon la ligne du féminisme: d'un côté les pour, de l'autre les contre. La ligne passe ailleurs. C'est celle de la recherche de la sécurité.

L'indépendance d'esprit est une chose difficile et qui ne s'acquiert que progressivement dans une vie. Elle réclame, entre autres, de renoncer à la sécurité que représente la pensée de groupe, d'assumer seul et à ses risques les conséquences de ses idées et de ses gestes.

Il est plus facile d'accepter de se fondre dans des idées communes et de renoncer à ses responsabilités spirituelles au profit du groupe. Être membre d'une Église comporte ses avantages psychologiques.

C'est de ce côté que penche aujourd'hui l'idéologie véhiculée par les porte-parole du féminisme, avec la sacralisation de la cause et l'insistance sur les responsabilités collectives.

Cela demeure encore très près des grandes mythologies qui ont embarrassé la pensée de gauche depuis un demi-siècle. Hors de la gauche point de salut.

La gauche aujourd'hui se cherche un nouveau terreau intellectuel après l'échec de son dogmatisme. Elle doit entre autres redécouvrir les vertus de la démocratie, du marché et des libertés fondamentales. Retour à la case départ.

Le féminisme aussi se débarrassera de sa gangue dogmatique, comme d'une maladie infantile. Trop de ses porte-parole viennent encore des milieux universitaires et syndicaux. Contrairement à ce qu'on pourrait croire, ce sont des endroits où le terrorisme intellectuel l'emporte souvent sur la liberté de l'esprit.

## 2- LA DIMINUTION DE LA VIOLENCE

Le discours féministe sur la violence est irrationnel et sans fondement.

D'abord, il reprend le bon vieux schéma manichéen dont j'ai parlé plus haut: le mal est dans l'homme, la violence appartient à l'homme. La femme ne fait pas partie de l'espèce humaine. Elle ne connaît pas la violence, l'ambition, la mesquinerie, l'envie, la vengeance, la cruauté...

En mettant toute la violence sur le dos de l'homme, on s'évite une réflexion plus large sur le sens de la violence dans la condition humaine en général.

Dans «L'ère du vide», Gilles Lipovetsky relie la violence à la prééminence dans les sociétés anciennes de valeurs comme l'honneur et la vengeance. «Tout au long des millénaires, écrit-il, qui ont vu les sociétés fonctionner sous un mode sauvage, la violence des hommes, loin de s'expliquer à partir de considérations utilitaires, idéologiques ou économiques, s'est essentiellement agencée en fonction de deux codes strictement corollaires, l'honneur, la vengeance, dont nous avons peine à comprendre l'exacte signification , tant ils ont été éliminés inexorablement de la logique du monde moderne». [16]

La violence serait donc reliée aux valeurs qui soudent l'existence du corps social. «Lorsque l'individu et la sphère économique n'ont pas d'existence autonome et sont assujettis à la logique du statut social, règne le code de l'honneur, le primat absolu du prestige et de l'estime sociale, de même que le code de la vengeance, celui-ci signifiant en effet la subordination de l'intérêt personnel à l'intérêt du groupe, l'impossibilité de rompre la chaîne des alliances et des générations, des vivants et des morts, l'obligation de mettre en jeu sa vie au nom de l'intérêt supérieur du clan ou du lignage. L'honneur et la vengeance expriment directement la priorité de l'ensemble collectif sur l'agent individuel» .

Lipovetsky estime même que «toutes les sociétés qui accordent la priorité à l'organisation d'ensemble sont peu ou prou des systèmes de cruauté».

Comme tous ceux qui ont pris la peine d'examiner objectivement les faits, Lipovetsky constate que la violence est moins répandue aujourd'hui qu'autrefois. «La ligne de l'évolution historique est connue: en quelques siècles les sociétés de sang régies par l'honneur, la vengeance, la cruauté ont fait place peu à peu à des sociétés profondément «policées» où les actes de violence interindividuelle ne cessent de diminuer, où l'emploi de la force déconsidère celui qui s'y livre, où la cruauté et les brutalités suscitent indignation et horreur, où le plaisir et la violence se disjoignent. Depuis le XVIIIe siècle environ, l'Occident est commandé par un procès de civilisation ou d'adoucissement des moeurs dont nous sommes les héritiers et continuateurs: l'atteste, dès ce siècle, la forte diminution des crimes de sang, homicides, rixes, coups et blessures; l'attestent la disparition de la pratique du duel et la chute de l'infanticide qui, au XVIe siècle encore était très fréquent; l'attestent enfin, au tournant des XVIIIe et XIXe siècles, le renoncement à l'atrocité des supplices corporels et, depuis le début du XIXe siècle, la chute du nombre des condamnations à mort et exécutions capitales».

La source première de l'adoucissement général des moeurs, selon lui, réside dans le renversement du rapport de l'homme à la communauté. Aujourd'hui, l'individu se prend pour fin et n'existe que pour lui-même. Il n'est plus glorieux de mourir pour l'honneur ou la patrie dans une époque qui valorise l'épargne, la prudence, la longévité, le plaisir personnel.

Lipovetsky note que «la campagne des femmes battues se développe et rencontre l'écho que l'on sait à mesure que massivement la violence masculine régresse dans les usages».

Pourquoi lit-on, dans la prose féministe en particulier, tant de discours délirants sur la violence généralisée? Parce que, explique Lipovetsky, l'individu moderne, centré sur lui-même, narcissique, amplifie tous les risques, «obsédé par ses problèmes personnels, exaspéré par un système répressif jugé inactif ou trop clément, habitué à être protégé, traumatisé par une violence dont il ignore tout».

«Le narcissisme, écrit-il, inséparable d'une peur endémique, ne se constitue qu'en posant un dehors exagérément menaçant».

Le discours débridé des Bersianik, Saint-Jean et compagnie sur la violence ne serait-il pas à rapprocher de ce que l'on voit au cinéma, au théâtre et dans la littérature où, fait remarquer Lipovetsky, «la représentation de la violence est d'autant plus exacerbée qu'elle régresse dans la société civile»?

Enfin, l'auteur glisse une observation qui aide à comprendre l'affaire de Polytechnique. Oui, dit-il, la personnalisation adoucit les moeurs mais inversement, elle «durcit les conduites criminelles des déclassés, favorise le surgissement d'actions énergumènes, stimule la montée aux extrêmes dans l'usage de la violence». Bref, selon lui, «l'effet hard est corrélatif de l'ordre cool». C'est-à-dire que plus la société s'adoucit, plus les gestes violents prennent du relief. En conclure que la violence se généralise, comme le font tant de féministes, c'est être victime d'un mirage.

Le sociologue français Yves Michaud constate lui aussi que le discours sur la violence ne reflète pas la réalité des choses. «Aujourd'hui, la plupart des considérations sur la violence s'hypnotisent sur la criminalité pour en dénoncer la montée. Cette progression de la violence criminelle n'est guère établie et l'on assiste plutôt à une pacification progressive de la société: qu'on l'admette ou non, les moeurs se sont civilisées. Que l'opinion publique appréhende néanmoins une insécurité grandissante n'a en fait rien à voir avec le volume effectif de la criminalité mais avec les normes à partir desquelles les phénomènes criminels sont appréhendés. À la différence des sociétés du passé, les nôtres sont habituées à une sécurité toujours plus large, qui ne dépend pas seulement des chiffres de la criminalité mais autant et plus de l'organisation des assurances et de la sécurité sociale, de l'homogénéité d'un espace de libre circulation, de la régulation de multiples aspects de la vie par l'État. Sur ce fond de sécurité grandissante – et envahissante – les comportements criminels sont perçus avec une anxiété disproportionnée par rapport à leur volume réel». [17]

Autrefois, écrit-il un peu plus loin, «la violence criminelle était un moyen normal de comportement dans un monde où les moyens juridiques étaient inaccessibles à la plupart (...) Les connaissances historiques laissent ainsi percevoir une civilisation progressive des moeurs et une diminution de la violence criminelle. Ce processus a eu pour contrepartie une gestion toujours plus contraignante de la vie sociale et la montée des contrôles sociaux. En tout cas, s'il y a une montée de la violence, elle ne réside pas du côté de la criminalité, ou bien c'est que nous sommes devenus extraordinairement sensibles à une insécurité qui n'a jamais été aussi faible».

Autrement dit, par rapport aux sociétés anciennes, nous vivons dans un monde douillet, bardés de contrats d'assurance, de sécurité collective, encerclés «d'intervenants» qui veulent tous notre bien, pris en charge par l'État, l'organisation syndicale et l'entreprise. On ne nous laisse même plus seuls en attente au téléphone: une petite musique insupportable est censée nous faire patienter. Après avoir parfumé la colle des timbres, l'État nous demandera bientôt à quelle essence il doit imbiber notre formulaire d'impôt. À ce régime, nous mourrons tous idiots.

Tout ce qui vient déranger l'ordre sacro-saint du dorlotement et de la sécurité à tout prix est perçu comme une menace intolérable.

J'ai encore à la mémoire les réactions hystériques de certaines gens qui ont été dérangées par l'incendie de BPC à Saint-Basile-le-Grand. Ils étaient logés et nourris dans des hôtels fort convenables aux frais de l'État en attendant les résultats des tests qu'on faisait sur leur gazon. Qu'a-t-on vu à la télévision? Des gens déboussolés, perdus, criards comme si on les avait parqués pour les expédier dans un quelconque camp de la mort. Dans nos appartements climatisés et nos bungalows de banlieue assurés, nous avons perdu tout sens du risque, le moindre dérèglement de la routine quotidienne nous déroute et détruit nos repères. On assure même ses vacances! Qui aujourd'hui partirait sur la mer, comme Colomb ou Magellan, à la merci des vents, des tempêtes, de la mutinerie et sans savoir ce qui l'attend à l'autre bout du monde?

Ce n'est pas la violence qui nous menace, c'est l'ennui et l'excès de poids. Dans les réunions familiales, ce n'est pas de violence quotidienne dont s'entretiennent les femmes mais de régimes amaigrissants.

Pourquoi les films d'horreur remportent-ils un tel succès dans les clubs vidéo? Parce que la vie, organisée comme elle l'est, n'offre plus rien d'excitant. Pour se donner l'illusion de l'aventure, les matamores de banlieue se promènent en véhicules 4 x 4 équipés pour la traversée sauvage des Andes. Ils ont fière allure dans les parkings de centres commerciaux!

Shell, Esso ou American Express leur offrent des itinéraires de vacances à l'abri de toute surprise et avec ça une assurance contre le moindre petit pépin. Quiconque travaille dans un milieu syndiqué constate à quel point les conventions collectives ont tendance à devenir des assurances absolues contre la mobilité de la vie. Non seulement veut-on être assuré d'avoir sa chaise à vie mais encore réclamera-t-on bientôt qu'elle soit vissée au plancher.

Nous vivons dans l'obsession de l'assurance. Il n'y a pas de semaine où le courrier ne m'apporte pas une proposition de contrat d'assurance contre à peu près tout ce qui pourrait m'arriver.

Il y a dans le discours féministe sur la violence beaucoup de cet esprit du temps. Comme je l'ai souligné plus haut, la majorité des femmes ou des compagnons de route qui tiennent ces discours appartiennent au milieu douillet de la bourgeoisie universitaire ou syndicale. Ces gens-là vivent dans l'aisance, la sécurité, le bois décapé ou la brique nue, réclament leur place de parking, prennent leur congé sabbatique, s'émoustillent dans des colloques et tiennent ensuite des discours terrifiants sur la violence qui les menace dans la société. Le narcissisme y est cultivé comme un art de vivre.

*

Enfin, il faut encore citer un auteur qui a fait sur la violence un travail de premier plan: Jean-Claude Chesnais et son Histoire de la violence.[18]

Chesnais commence par faire un sort à l'emploi extravagant que l'on veut faire aujourd'hui du mot violence, comme lorsqu'on parle de violence «morale» ou qu'on étend le sens de ce mot à tous les problèmes qui surgissent dans les relations entre les gens. «Parler de violence dans ce sens (moral) est un abus de langage propre à certains intellectuels occidentaux, trop confortablement installés dans la vie pour connaître le monde obscur de la misère et du crime. Dès que deux individus X et Y sont en présence, l'un peut chercher à dominer l'autre par la séduction ou la conviction, et l'on pourrait parler de violence, mais c'est confondre vie et violence et, par là, implicitement se fixer comme univers de référence un monde totalement aseptisé d'où l'on aurait extirpé toute angoisse, toute incertitude et peut-être aussi tout changement (parce qu'anxiogène)». [19]

La violence c'est d'abord le meurtre, le viol, les coups et blessures. Et à ce chapitre, note Chesnais, «il y a eu au cours des derniers siècles et des dernières décennies, une régression considérable de la violence criminelle». [20]

C'est une évidence qui s'impose à quiconque analyse objectivement le phénomène de la violence. Mais comme les autres auteurs, Chesnais est frappé de la disparité entre les discours alarmistes sur une prétendue montée de la violence et l'état réel des choses.

Commençons par l'état réel des choses. «En Europe aujourd'hui, écrit Chesnais, on risque cinquante fois plus de périr de mort violente en tombant d'un escalier, en roulant dans sa voiture ou en se tuant par accès de désespoir qu'en étant agressé par un voyou.» [21]

Pour trois grands types de violence (mortelle, corporelle et sexuelle) Chesnais, après avoir analysé les statistiques sur de longues périodes, écrit que «globalement les violences directes contre les personnes sont en franche diminution par rapport au passé et c'est justement pour les crimes les plus graves que le recul est le plus net». [22]

«La tendance est incontestable, écrit-il, peut-être même plus accentuée qu'elle ne paraît au regard des chiffres, car l'enregistrement va plutôt en s'améliorant et il est d'autant plus sûr que la gravité est plus grande. Plus on se rapproche de la violence réelle, moins l'interprétation du phénomène a de chances d'être déformée.»

En Italie, par exemple, le taux d'homicidité est aujourd'hui cinq fois moindre qu'à la fin du 19e siècle. Deux fois moindre en Angleterre et en Allemagne. Pour l'ensemble des pays occidentaux, «les taux de décès par homicide sont désormais très faibles, ils sont du même ordre que la mortalité par incendie et cinq à dix fois moins fréquents que les accidents domestiques (chutes, empoisonnements, électrocution, etc).» [23]

Les risques d'être victime de cette violence sont beaucoup plus faibles maintenant qu'au siècle dernier. Les taux, note Chesnais, tendent à converger autour de un pour cent mille (sauf aux États-Unis). Il fait à ce sujet le commentaire suivant: «On crie à l'insécurité (...); ceux qui crient le plus sont souvent ceux qui souffrent le moins. La première des sécurités, celle de la vie, est, en réalité, mieux garantie que jamais; le prix de la vie humaine n'a jamais été aussi élevé qu'aujourd'hui.»

La violence par coups et blessures volontaires est elle aussi en nette diminution. Chesnais cite l'exemple de la France: «Le nombre d'accusations de blessures et coups graves portées devant les cours d'assises est aujourd'hui huit fois moindre qu'il y a un siècle et demi, alors que la population a, depuis ce temps, presque doublé (...) La violence s'exprime de façon moins cruelle que par le passé (...) Loin d'être révéré au nom de l'honneur comme dans les sociétés traditionnelles, l'usage de la force est profondément dévalorisé, relégué au rang du sadisme ou du déséquilibre mental.» [24]

À propos enfin de la violence sexuelle, Chesnais note au départ la difficulté d'en déceler l'évolution sur une longue période, étant donné que toutes les femmes violées ne portent pas plainte. De plus «quand elle est bien identifiée, la fréquence du viol est délicate à interpréter; elle mesure le vice des hommes, mais aussi, pour une bonne part, la plus grande propension des femmes à porter plainte, donc le degré de tolérance sociale à l'égard de ce crime».

Chesnais consacre à la question du viol un chapitre très documenté (chapitre VII), riche en données et en références culturelles. On y apprend par exemple que les capitales du viol sont américaines et allemandes et que cette forme de violence sévit surtout dans les pays de culture protestante (USA, Allemagne, Suède). Phénomène intéressant, les États américains de vieille colonisation comme nos voisins de la Nouvelle-Angleterre, sont des terres de non-violence, comme l'est le Québec par rapport au reste de l'Amérique. Le viol, comme le reste de la criminalité, est beaucoup plus fréquent dans l'Ouest (tant au Canada qu'aux USA) que dans l'Est.

Chesnais note que l'héritage religieux joue un rôle majeur dans le degré de violence sexuelle d'une société. Les pays de culture catholique tolèrent beaucoup moins la violence sexuelle. Quant à son évolution, Chesnais analyse en détail le cas de la France, bien pourvue en statistiques, où, écrit-il, la «violence sexuelle est plus basse que jamais».[25] Depuis un siècle, dans les pays d'Europe, la tendance est régulièrement à la baisse, même si depuis une vingtaine d'années, les pays protestants enregistrent une nette augmentation des viols.

Pour l'ensemble donc de la criminalité contre les personnes, conclut Chesnais, la loi est celle de la décroissance générale de la violence globale.[26]

Pourquoi donc le discours sur la violence est-il si exacerbé alors que celle-ci diminue?

C'est que la violence est le lieu privilégié des discours irrationnels. La violence fait peur et la peur inspire les propos les plus excessifs. Malgré la diminution de la violence, le sentiment d'insécurité ne semble pas avoir diminué dans les mêmes proportions. Chesnais rappelle à ce sujet le paradoxe déjà relevé par Alexis de Tocqueville. «Plus un phénomène désagréable diminue, plus ce qui en reste est perçu ou vécu comme insupportable. Ainsi toute diminution du niveau de violence s'accompagne d'une sensibilité accrue à la violence, donc d'une aggravation du sentiment d'insécurité. Dès lors, interpréter la poussée du sentiment d'insécurité en termes d'accroissement de violence objective est non seulement illusoire mais mystificateur. Une grande partie des conduites violentes ou irrégulières supportées dans une société traditionnelle, indépendante et fermée, n'est plus tolérée dans une société interdépendante, formalisée et ouverte: le droit de réponse directe à l'injustice n'est plus accepté, les conflits sont médiatisés. La migration vers les villes a, en réalité, produit un type d'homme plus socialisé, plus scrupuleux, plus courtois, plus raffiné, plus sensible. Les premières polices furent urbaines. Dès le XIXe siècle, le citadin a été conditionné à exiger aide et protection des autorités publiques, donc à discuter, et à transiger...» [27]

Dans «La civilisation des moeurs» [28], Norbert Elias trace une partie de l'histoire de cette urbanisation de l'homme. Il montre à quel point nos moeurs se sont adoucies par rapport aux siècles passés. Notre agressivité, écrit Elias, a été affinée et civilisée. «Elle ne se manifeste plus dans sa force brutale et déchaînée qu'en rêve et dans quelques éclats que nous qualifions de pathologiques.» [29]

Nous n'avons aucune idée de ce qu'est une vraie société violente. À propos du Moyen Âge, Elias écrit: «Les débordements de la cruauté n'entraînaient aucun ostracisme social. Ils n'étaient pas considérés comme socialement dégradants. On prenait plaisir à torturer et à tuer, et ce plaisir passait pour légitime. Les structures sociales poussaient même jusqu'à un certain degré, à agir ainsi et donnaient à ces comportements une apparence de rationalité.» [30]

C'est cela qui a changé. La cruauté des moeurs, la brutalité, le recours à la force ne sont plus acceptés. Les éclats pathologiques, pour reprendre l'expression d'Elias, comme la tuerie de Poly, ne sont pas la «pointe de l'iceberg» de la violence de notre société. Ils sont bel et bien des gestes exceptionnels, atypiques et détonnants par rapport aux comportements d'usage. Et c'est bien pourquoi ils scandalisent tant.

«La violence fascine, écrit Chesnais, surtout quand elle est spectaculaire. Les violences sexuelles intéressent plus que les banales querelles conjugales, les actes de piraterie aérienne plus que les vulgaires bagarres meurtrières entre ivrognes. Mais ces faits divers, horribles et sanglants à souhait, n'attirent l'attention que sur des cas particuliers, atypiques. Ces sont les cinq à dix pour cent de cas aberrants qui sont l'exception et non la règle. Mais ce sont eux qui font trembler les foules et réveillent les réflexes de peur (...) Le citoyen vit désormais la violence en spectateur, hier il la vivait en acteur. Nous sommes passés de l'ère de la violence vécue à l'ère de la violence vue.»

Enfin, les discours irrationnels sur la violence ont une fonction de cohésion sociale, note

Chesnais. «En réalité, tout se passe comme si, en pleine époque de paix, les sociétés jouaient à se faire peur. Le cri d'alarme est un appel symbolique au ralliement. C'est une nouvelle mobilisation mais, cette fois , contre un ennemi de l'intérieur, fût-il fictif: toute paix prolongée paraît entraîner une lente désagrégation du contrat social, une érosion progressive du consensus. Pour se ressouder, le corps social a, semble-t-il, besoin de ces grandes missions salvatrices, de ces croisades contre le Mal. La fonction cachée d'un tel mythe serait de recréer, dans un combat imaginaire, l'unité perdue, en organisant la lutte des honnêtes gens contre les Mécréants».

En ce sens, les idéologues du féminisme ont bel et bien «récupéré» la tuerie de Polytechnique à leur profit. En faisant de cet événement exceptionnel un symbole du comportement habituel des hommes vis-à-vis des femmes, les idéologues ont relancé la croisade contre le grand Satan, l'affreux mâle ordinaire et batteur de femmes. C'est une opération qui relève de l'exorcisme.

# 3- GRAND FESTIVAL DE STATISTIQUES

Précisons d'abord que selon le recensement de 1986, il y a au Québec 2,540,000 femmes de plus de 18 ans, et 10,225,000 au Canada.

– Par an, cinquante femmes sont tuées par leur mari. (La Presse, 18/12/89)

– Au Québec, entre 1981 et 1985, 84 femmes ont été assassinées par leur mari ou compagnon. (Le Devoir, 21/04/87, citant le Conseil canadien de la statistique juridique.)

– Entre 1981 et 1985, 261 femmes ont été assassinées par leur mari. (La Presse, 23/01/88)

– Il y a au Québec 300,000 femmes battues. (La Presse, 8/12/89)

– Les femmes violentées sont 256,000 au Québec. (La Presse 19/04/87)

– On estime à 200,000 le nombre de femmes battues par leur mari au Québec. (Montreal Daily News, 8/07/88)

– Une femme sur huit (soit 325,000 femmes adultes) est victime de violence conjugale au Québec. (Presse Canadienne, 30/12/89).

– Une femme sur dix subit des sévices corporels de la part de son conjoint au Québec. (Le
Journal de Montréal, 24/03/87)

– Selon une estimation conservatrice, environ
800,000 Québécoises sont agressées physiquement par leurs compagnons. (Janet
Bagnoll, The Gazette, 15/07/89)

– On estime que 10 p. cent des hommes agres-
sent la femme avec laquelle ils vivent. (Ottawa
Citizen, 29/07/88)

– En 1987, au Québec, 6,500 cas de violence
conjugale ont été rapportés à la police. On
estime que seulement 10 p. cent des cas sont
rapportés. (La Presse, 14/02/89)

– Une femme sur dix est violée au Canada.
(Francine Pelletier, La Presse, 13/11/88)

– Une Canadienne sur 17 est violée au cours de
son existence. (Armande Saint-Jean, Pour en
finir avec le patriarcat, p. 181)

– Il y a 14,000 femmes agressées sexuellement
au Québec annuellement. (Francine Pelletier,
La Presse 17/12/88)

– Une fillette sur trois est abusée sexuellement.
(Francine Pelletier, La Presse 17/12/88)

- Une Canadienne est violée à toutes les 17 minutes (ce qui équivaut à 31,000 par année) (Paula Sypnowich, Montreal Mirror, 14/12/89)

- Une femme sur deux et un homme sur trois ont subi une agression sexuelle avant l'âge de 18 ans. (La Presse 9/04/87)

- Une femme sur quatre sera soumise à une forme quelconque d'assaut sexuel au cours de sa vie. (Madame au Foyer, mai 1990)

- Les agressions sexuelles touchent près d'un millier d'enfants par année chez nous. (La Presse 17/07/87)

- En 1986, 24,000 enfants ont été victimes d'abus sexuels au Québec. (Le Devoir, 13/11/87)

- Une femme sur dix est battue par son conjoint. (Vie Ouvrière, janvier 85)

- 500,000 Québécoises auront été victimes d'une agression sexuelle au cours de leur vie. (La Presse 11/01/89)

- Il y a 500,000 femmes battues au Canada. (La Vie en Rose, Juin 1982)

– Un million de Canadiennes, soit une sur huit, subissent chaque année des violences physiques, psychologiques, sexuelles ou économiques. (Rapport du Conseil consultatif canadien sur la situation de la femme, juin 1987.)

– 40 p. cent des meurtres impliquent des femmes tuées par leur conjoint. (F. Pelletier, La Presse, 17/12/88)

– Statistiquement, ce sont les femmes qui sont les victimes privilégiées d'actes violents. (Mary Clancy, député libéral, Le Devoir 9/12/89)

– «... de plus en plus, la violence est dirigée contre les femmes». (Brian Mulroney, Le Devoir, 9/12/89)

– Trois statistiques sur deux sont louches.
                                        – Un salaud

## 4- FABRICATION D'UNE STATISTIQUE

Les statistiques sont les tartes à la crème de l'information. On se les lance comme ça à la figure, l'important n'étant pas la qualité de la crème mais l'effet recherché. De la mousse à raser peut très bien faire office de crème.

Et c'est ce qui arrive. Les statistiques citées précédemment constituent un joli paquet de contradictions. Et de faussetés. C'est clair: à peu près aucun journaliste ne vérifie la source et la valeur des statistiques qu'il emploie. Les femmes agressées y passent de une sur deux à une sur trois, une sur quatre, une sur huit, une sur dix.

Peut-être y a-t-il une source quelque part mais on ne nous le dit généralement pas. La statistique se présente comme une sorte de contenu révélé incontestable, avec l'effet magique du nombre. Les chiffres sont imbus d'un pouvoir d'objectivité absolue... jusqu'à ce qu'ils se contredisent.

En fait, le journaliste a généralement puisé sa statistique... dans l'article d'un collègue. Et ainsi, des chiffres se baladent libres comme des ballons soufflés à l'hélium, errant dans l'air sans trace de leur origine.

Et puis un jour, on retrouve une origine: là où les ballons sont soufflés.

Dans «La connaissance inutile», Jean-François Revel a crevé un de ces mystérieux ballons. Des esprits bien intentionnés (?) avançaient constamment la statistique affreuse de 50 millions de morts de faim dans le monde par année. Le but recherché était la plupart du temps idéologique: culpabiliser le monde occidental vis-à-vis du tiers monde. Or, il meurt par année dans le monde, en tout, environ... 50 millions de personnes. La famine fait probablement entre 1 et 2 millions de morts... la plupart du temps en pays «socialiste» du tiers monde. C'était un beau ballon.

Comment voir clair maintenant dans tout ce bric-à-brac statistique sur la fameuse «violence faite aux femmes», comme dit la langue de bois, et sur la violence en général dans notre société?

Il y a en fait un petit nombre de sources d'où l'on peut obtenir des statistiques fiables sur la violence, sous toutes ses formes, déclarée et non déclarée. Ces sources sont généralement gouvernementales. Des ministères, comme ceux de la Protection publique au Québec, du Solliciteur général à Ottawa, et des organismes publics comme le Conseil consultatif canadien sur la situation de la femme émettent des statistiques sur la violence. Et encore là, il faut être vigilants car on peut toujours nous gonfler des «ballounes».

Et c'est justement ce qu'a fait en 1987 le Conseil consultatif canadien sur la situation de la femme (CCCSF).

Regardons bien comment on peut fignoler une statistique.

Le CCCSF fait officiellement savoir en juin

1987[31] qu'il y a au Canada environ un million de femmes battues. Tous les journaux reprennent l'effarante statistique. Enfin on a mesuré «la violence faite aux femmes»! Le chiffre magique fait son tour de presse et entame une brillante carrière. Il va se promener partout. Je l'ai encore vu dans le numéro de février 1990 de la revue «Femmes Suisses» qui commentait la tuerie de Polytechnique. Depuis trois ans, le chiffre du CCCSF est LA référence et c'est de lui qu'on s'inspire quand on avance le chiffre d'environ 300,000 femmes battues au Québec.

Comment en est-on arrivé au chiffre de un million de femmes battues?

Voici d'abord comment le CCCSF a défini une «femme battue»:

«La femme battue, c'est celle qui a perdu sa dignité, son autonomie et sa sécurité, qui se sent prisonnière et sans défense parce qu'elle subit directement et constamment ou de façon répétée des violences physiques, psychologiques, économique, sexuelles ou verbales. C'est celle qui doit essuyer des menaces continuelles et qui voit son amoureux, mari, conjoint, ex-mari ou ex-amoureux – homme ou femme – se livrer à des actes violents sur ses enfants, ses proches, ses amis, ses animaux familiers ou les biens auxquels elle tient. Aussi l'expression «femme battue» englobera-t-elle toutes les répercussions des violences infligées à la femme elle-même, à ses enfants, à ses amis et parents et à la société dans son ensemble.» [32]

Voilà la définition sur laquelle est basée la statistique du million de femmes «battues». Ce million comprend donc des femmes «battues» économiquement, psychologiquement ou verbalement, qui éprouvent une perte de dignité ou de contrôle, qui ont vu leur batteur de mari s'en prendre au chien de la maison ou à une potiche chinoise. Il faut relire la définition du CCCSF, c'est exactement ce qu'elle dit. Il n'y manque que le sentiment d'être regardée de travers, ce qui nous ferait des femmes «battues visuellement». Combien de pays pourraient en dire autant?

Mais ce n'est pas tout! Comment à partir de cette définition «extra-large» a-t-on trouvé un million de femmes battues?

Suivez le guide!

Les auteurs du rapport ont constaté qu'en 1985, 15,730 femmes à travers le Canada s'étaient retrouvées dans 110 refuges pour femmes, «battues» de la façon décrite plus haut.

On a extrapolé ces chiffres pour les 230 refuges existant alors au pays, ce qui donne le total d'environ 33,000 femmes «battues» pour l'ensemble du pays. Mais comme ces refuges ne répondent pas à la demande et qu'une femme sur deux y est refusée, on double le chiffre, disons à 65,000.

Encore un petit effort! Les auteurs du rapport se servent alors d'une étude faite dans la

ville de London, en Ontario, qui montre que 89
p. cent des femmes «battues» ont demandé de
l'aide ailleurs que dans un refuge. Cela autorise
donc à multiplier par 9 le total de 65,000 obtenu
plus tôt. Nous voilà donc à 580,000 femmes battues, disons 600,000. Dernière étape: comme on
estime qu'une femme «battue» sur trois ne demande de l'aide nulle part, on grossit les 600,000
à 900,000. Disons un million!

Voilà! Une statistique nous est née. Les
manchettes ont ensuite suivi dans les journaux.
On a lu partout, en grosses lettres noires, sur la
foi de cette «statistique», qu'il y avait un million
de femmes «battues» au Canada.

À quoi ressemble une opération semblable?
À de la fabrication de preuves. Il «fallait» que la
statistique sur la «violence faite aux femmes»
fût stupéfiante, car le discours l'avait toujours
soutenu. Imaginez si on était arrivé avec des
chiffres démobilisateurs!

Si on prend au sérieux ce chiffre, il y aurait
au Québec environ 250,000 femmes «battues».
Or, on voit dans les chiffres que j'ai étalés à la
section 2, que l'évaluation se promène de 800,000
(premier prix à The Gazette, bravo!) à 65,000 (le
chiffre de la police – 6,500 – multiplié par 10).
On remarque aussi dans ces citations que le mot
«battues», étiré au-delà de tout bon sens par le
CCCSF, revient souvent à son vrai sens: violence physique. Le message lancé en 1987 par le
CCCSF revenait à dire, dans l'esprit des gens,

qu'il y avait au Canada un million de femmes qui recevaient des coups. C'est bien ainsi que l'interprète Armande Saint-Jean, en caractères gras, pour ne pas que cela nous échappe: «Une Canadienne sur dix se fait battre régulièrement par son mari». [33] Il n'est plus question d'être «battue» économiquement, psychologiquement ou verbalement.

Mme Saint-Jean utilisait une statistique du CCCSF remontant à 1980 et qui aboutissait aux mêmes résultats que le rapport de 1987 ...comme si on s'arrangeait pour arriver à un certain résultat.

Voilà donc comment, par la voie d'un organisme officiel et grâce à la manipulation des chiffres et des mots, nous sommes devenus une nation de batteurs de femmes.

### Un déficit grave

Mais avant de clore ce chapitre sur l'art de la statistique, faisons un dernier exercice, pour garder la main.

Le 23 août 1990, le Regroupement provincial des maisons d'hébergement et de transition pour femmes victimes de violence conjugale (ne pourraient-elles pas se trouver un sigle!) annonçait que ses 46 maisons avaient accueilli 100,000 femmes, victimes de violence conjugale.

Faisons donc un petit calcul en utilisant la méthode du CCCSF, telle qu'exposée plus haut.

Cet organisme partait du chiffre suivant:

15,730 femmes «battues» dans 110 maisons refuges. Notons au départ, quelque chose d'étrange: chaque maison accueille au Québec, en moyenne, plus de 2000 femmes annuellement. Au Canada, cette moyenne serait de 140, selon les chiffres du CCCSF. Il y a quelque chose qui cloche là-dedans. Quelqu'un nous triche quelque part... Mais comme ce sont les chiffres que l'on nous fournit, utilisons-les!

Voici les étapes du calcul, méthode CCCSF:

1) Parmi les femmes qui se présentent au refuge, la moitié sont refusées faute de places: il faut multiplier par deux.

Nous en avions 100,000, nous en avons donc maintenant 200,000;

2) 89 pour cent des femmes battues demandent de l'aide ailleurs que dans un refuge. Donc: multiplier par 9.

200,000 x 9 = 1,800,000;

3) Pour deux femmes battues, une troisième ne demande d'aide nulle part. Il faut donc ajouter 50 pour cent au total précédent.

1,800,000 x 1.50 = 2,700,000.

Résultat ahurissant! Car selon le recensement de 1986, il y a 2,542,040 femmes de plus de 18 ans au Québec. Nous avons donc tellement de femmes battues que nous enregistrons un déficit de femmes tout court. Il ne reste qu'une solution: puiser chez les mineures. C'est écoeurant!

## 5- LES VRAIS CHIFFRES

L'usage abusif de statistiques crée évidemment l'illusion que la violence est généralisée et que, comme on l'a fait dire au premier ministre, la violence s'exerce de plus en plus contre les femmes. Bien des gens sont convaincus que ce sont surtout les femmes qui subissent la violence et que celle-ci prend une ampleur inquiétante.

Or, tout cela est faux.

On peut prendre les statistiques à deux niveaux. D'abord celles de la police, ensuite celles des sondages qui permettent de mieux mesurer le degré réel de violence.

Pour les années 1988 et 1989, les données compilées de l'ensemble des services de police au Québec montrent que la violence (homicides, tentatives de meurtres, infractions d'ordre sexuel, voies de fait, vols qualifiés et enlèvements) touche 7 personnes sur mille. C'est-à-dire que 99,3 pour cent de la population n'est pas concernée par la violence déclarée contre les personnes. Les homicides touchent entre 2 et 3 personnes sur 100,000, selon les années. Les voies de fait sont la forme de violence la plus répandue et touchent cinq personnes sur 1,000.

Une première constatation s'impose: les cas de femmes tuées par leur conjoint n'ont pas l'ampleur qu'on prétend. Quarante pour cent des meurtres, écrivait Francine Pelletier dans La Presse du 17 décembre 1988. Pour l'ensemble du Canada, les statistiques judiciaires de 1987 montrent que ces cas constituent 15 p. cent de tous les homicides.

Mais les statistiques judiciaires ne sont pas les plus utiles pour mesurer le degré réel de violence contre les personnes dans une société. Les victimes sont loin de toujours rapporter les crimes qui les touchent. Il existe donc des chiffres «noirs» de la criminalité.

C'est pourquoi des sondages sont faits auprès de larges secteurs de la population pour mesurer au plus près ce qu'on appelle la victimisation. Plutôt que de comptabiliser les crimes connus, on sonde la population sur la criminalité qu'elle subit.

Le solliciteur général du Canada a réalisé en 1982 un tel sondage auprès de 61,000 Canadiens d'au moins 16 ans habitant sept centres urbains du pays (Vancouver, Edmonton, Winnipeg, Montréal, Halifax-Darthmouth, St. John's). Il s'agit, par son échantillonnage, d'un super sondage. Ses résultats ont été rendus publics dans dix fascicules publiés entre 1983 et 1988. Malheureusement, ils ne nous fournissent pas de données par ville, ce qui aurait été intéressant, étant donné que Montréal est une ville beaucoup moins violente que Vancouver. Que disent tout de même ces chiffres?

Ils nous disent d'abord que contrairement à une opinion répandue, le crime au Canada est rarement violent dans les faits. «Les Canadiens sont beaucoup plus susceptibles d'être victimes de crimes contre les biens que de crimes contre la personne», est-il écrit dans le fascicule no 1. La proportion est d'environ un contre cinq.

La violence contre les personnes atteint dans ce sondage le taux de 7 p. cent ou 70 incidents pour 1000 habitants. La tableau se lit comme suit:

Agression sexuelle: 3,5 pour 1000
Vol qualifié (avec violence): 10 pour 1000
Voies de fait: 57 pour 1000

Qui est victime de cette violence? D'abord les hommes. Il y a seulement dans la catégorie des agressions sexuelles que les femmes sont plus victimisées que les hommes (sept fois plus). Les hommes sont les victimes des deux tiers des vols avec violence et des voies de fait.

Dans le fascicule numéro 4 (1985), les auteurs écrivent: «La peur généralisée qu'un grand nombre de femmes expriment ne peut s'expliquer par la fréquence des agressions sexuelles qui, dans leur forme extrême, sont relativement rares. L'agression sexuelle était l'infraction la plus grave comprise dans le sondage et représentait un p. cent du total estimatif des incidents». Les auteurs définissait ainsi l'agression sexuelle: «Le viol, la tentative de viol, l'attentat à la pudeur et la tentative d'attentat à la pudeur».

En mars 1990, Statistique Canada publiait de nouvelles données dans «Profil de la victimisation au Canada». L'enquête a été faite en janvier et février 1988 auprès de 9870 personnes.

Elle confirme les données du sondage de 1982. «En général, peut-on y lire, on enregistre les taux les plus élevés de victimisation des personnes chez les hommes, les jeunes, les habitants des villes, les célibataires et les étudiants ou les chômeurs.»

À la page 26, les auteurs notent: «Les répondants ont déclaré trop peu de cas d'agression sexuelle pour permettre la production d'estimations statistiquement fiables». Il ne faut certainement pas en conclure que l'agression sexuelle n'existe pas. Mais il est clair, et cela était aussi évident dans le sondage de 1982, que ce type d'agressions demeure marginal, même en tenant compte du fait qu'elles ne sont pas toujours rapportées. [34] Il n'y a pas seulement l'agression sexuelle ou la violence familiale qui sont cachées à la police. Le sondage de 1982 estimait que plus de la moitié des vols qualifiés et des voies de fait n'étaient pas signalés. De 60 à 75 p. cent (selon les villes) des vols de biens personnels et du vandalisme ne sont pas rapportés. D'où l'utilité des sondages.

Celui de 1988 révèle les faits suivants:

— le taux des victimes de crimes avec violence est de 90 pour 1000 pour les hommes et de 77 pour les femmes;

— ce sont les hommes et les femmes mariés ou en union libre qui sont le moins victimes de violence; celle-ci frappe beaucoup plus les hommes célibataires et les femmes séparées ou divorcées;

— c'est au Québec que le taux de violence est le plus bas: 33 pour 1000 contre 83 pour 1000 dans l'ensemble du Canada et 157 en Colombie-Britannique. La différence est énorme. Si la violence est «généralisée» au Québec, comme on nous le répète sans cesse, il faut dire qu'on en mange en Colombie-Britannique.

Constatons une fois de plus que le taux réel de criminalité a peu à voir avec la perception qu'en a la population: c'est dans la région la plus sûre du pays, le Québec, que les gens ont le plus peur de circuler la nuit et qu'ils ont adopté un comportement défensif. Les études sur la violence démontrent d'ailleurs qu'elle fait d'autant plus forte impression sur les gens que ceux-ci sont non-violents.

### Conclusion

Il est évident que les statistiques dont se servent les militantes féministes sont grossièrement exagérées et qu'en les répétant sans aucune forme d'examen les médias accréditent le mythe de la violence généralisée contre les femmes. L'abus des statistiques pour défendre de bonnes causes est une pratique courante. On a vu à l'hiver de 1990, des «intervenants en itinérance» (ainsi nomme-t-on en volapük administratif ceux qui s'occupent des clochards) nous faire trembler avec la révélation que 300 clochards par année étaient retrouvés morts dans les rues de Montréal. Ce chiffre représentait en fait la totalité des personnes mortes sans témoin et dont le corps fut amené à la morgue pour autopsie: suicidés, victimes de meurtres, de morts naturelles dans la rue ou chez soi, etc.

À propos des femmes, il s'est créé une vraie psychose. À partir du fait que la violence contre les femmes est plus cachée que celle contre les hommes, on s'autorise à lancer n'importe quoi. Il se passerait une chose aberrante: la majorité des femmes seraient les victimes secrètes d'une violence jamais mesurée.

Voyons donc! Si une telle violence existait, ça se saurait! Même si les statistiques de la police n'en parlaient pas, on saurait bien ce qui se passe. On ne vit pas dans les nuages. On sait tous que plein de gens trichent l'impôt avec leurs petits revenus officieux (du cash, pas de chèque!) même si les statistiques ne nous le disent pas. Nous apprenons un tas de choses sur les moeurs sexuelles des gens, sur leurs habitudes de vie, on sait qui va avec qui, on sonde les gens sur combien de fois ils font la chose par semaine et on réussirait à cacher une violence généralisée chaque jour contre les femmes! Ce n'est pas crédible.

Dans son «Histoire de la violence», Jean-

Claude Chesnais cite des évaluations qui ont été faites aux États-Unis en 1975 sur le nombre total de victimes – enfants, femmes, parents – de violence familiale. Ces violences toucheraient environ quatre pour cent de la population globale. Que représentent dans ce chiffre les femmes battues? Un, deux pour cent? Et ici au Québec ce serait dix, vingt fois pire qu'aux États-Unis alors que l'ensemble de la violence contre les personnes y est à son degré le plus bas en Amérique du Nord?

Chesnais écrit au sujet de la violence familiale: «S'agissant d'apprécier la cruauté, comparée selon les pays et les époques, des hommes à l'égard de leurs compagnes, il convient d'observer la plus grande réserve à l'égard du discours des médias. La violence maritale est, le plus souvent, inversement proportionnelle à l'importance qu'on lui accorde dans la presse. Là où elle est prévalente, comme dans les sociétés machistes d'Amérique latine – aux Caraïbes notamment – ou dans les communautés traditionnelles de civilisation musulmane – par exemple en Iran –, elle est plus objet de souffrance résignée que de dénonciation hystérique. Le discours est trompeur, il n'est que le reflet inversé de la réalité. C'est, en effet, précisément aux États-Unis, où – les premiers colons ayant dû privilégier leurs trop rares compagnes – les femmes sont, de longue date, plus émancipées que sur le vieux continent, que les plaintes de femmes battues sont, en proportion, les plus répandues. La violence maritale est d'autant plus aisément signalée qu'elle est anormale. Il n'est pas dans nos intentions de vouloir la nier ou la minimiser, mais seulement de la ramener à sa juste dimension. Que la brutalité puisse de nos jours subsister, sans possibilité de recours, a de quoi faire scandale, certes, mais la question est à envisager sous toutes ses facettes. Il existe des femmes battues, comme il existe aussi des enfants battus, des vieillards battus, et aussi des hommes battus. Il y a des brutes, mais aussi des mégères...»[35]

Pourquoi finalement lit-on tant de chiffres terrifiants et irréalistes sur «la violence faite aux femmes»? Pour une raison qui est vieille comme le monde et que le sociologue Gaston Bouthoul a ainsi formulée: «La tendance naturelle de l'esprit humain est de croire avant de savoir».

Le discours incessant que l'on entend au Québec sur les légions de femmes battues relève du phénomène de la croyance militante: on fait sienne la cause des femmes et à partir de là, on accepte comme vrai tout ce qui est bon pour la cause. On ne cherche plus à savoir, on cherche à confirmer ses croyances. L'esprit critique y perd généralement ses droits. J'ai connu des gens qui militaient pour toutes sortes de causes et le phénomène est toujours le même: la cause devient le critère de toute vérité. La question n'est pas de savoir s'il y a vraiment une femme sur quatre qui subit des agressions sexuelles, elle est de savoir si un tel chiffre est bon ou mauvais pour la cause.

La violence contre les femmes existe, elle se mesure approximativement, une partie certainement reste cachée mais pour croire à l'iceberg immergé, il faut les capacités de fabulation et l'esprit de paranoïa des militants professionnels. Il y a des gens qui sont nés pour militer. La psychologie du militant se nourrit d'une grosse portion d'esprit de sérieux, d'une obsession de la persécution et de l'existence probable de complots colossaux. Si les gens qui lui font face sont le moindrement culpabilisables, le militant triomphe et fait avaler des couleuvres grosses comme des boas.

# 6- À PROPOS DE POLYTECHNIQUE

*La grande fabulation*

L'occasion était trop belle. Voilà un énergumène qui entre armé à l'université et qui tue expressément des femmes, seulement des femmes. Il hait les féministes, il l'a dit.

Deux jours plus tard, on lit dans les journaux que ce geste est «l'expression extrême d'une misogynie répandue». Le 11 décembre 1989, La Presse titre en page 3: «Les féministes dénoncent la misogynie des hommes et de leurs gouvernements». Suivent les discours de ces dames sur l'enfer qu'elles vivent quotidiennement.

Au printemps suivant, paraît le livre de référence féministe sur cette affaire: «Polytechnique, 6 décembre». Même discours d'une page à l'autre: le geste de Marc Lépine n'est que le reflet de «la société, étalée au grand jour dans toute sa misogynie triomphante» (Armande Saint-Jean). Inutile d'insister, elles ont toutes dit la même chose, y compris les compagnons de route, qui n'ont pas été les moins violents.

Certaines ont ajouté une précision: si Marc Lépine a frappé à l'École Polytechnique et pas ailleurs, c'était pour rappeler aux femmes que les hommes les remettront à leur place si elles sortent de leurs rôles traditionnels.

Marc Lépine agissait donc comme un révélateur. On ne pouvait plus se voiler la face: l'image de notre société nous était brutalement renvoyée dans toute son horreur. Société misogyne et violente.

Pourtant, deux jours avant cette tuerie, soit le 4 décembre, le ministère de l'Éducation du Québec rendait public un rapport [36] qui établissait exactement le contraire. Pendant qu'on criait à la misogynie triomphante sur les ondes et dans les journaux, une étude sérieuse, faite avec méthode, nous apprenait que le sexisme, le harcèlement sexuel, les attitudes de rejet ne sont pas un problème pour les jeunes femmes qui se lancent dans des études ou des métiers non traditionnels. Ce n'est pas le discours féministe que l'on a passé sous silence, c'est ce genre d'information.

Que dit ce rapport de recherche? Examinons d'abord les chiffres qui concernent les maisons d'enseignement:

— plus de 9 fois sur 10 les répondantes estiment que la réaction des étudiants masculins à leur présence en classe a été très favorable ou favorable. Au niveau universitaire, la réaction est estimée favorable à 96,8 pour cent.

— une proportion relativement faible des répondantes considèrent que le harcèlement sexiste et sexuel était un problème grave ou très grave pour les étudiantes de leur spécialité. À l'université, cette proportion est de 3,7 pour cent.

— les principales difficultés rencontrées par les étudiantes sont d'ordre général, soit les mêmes que pour les garçons. Les problèmes de sexisme des professeurs et de relations avec les gars sont marginaux (soit 1,1 et 2 pour cent au niveau universitaire).

Dans le milieu de travail maintenant, l'étude nous apprend que:

— plus de 85 pour cent des travailleuses considèrent comme favorable ou très favorable l'accueil des hommes à leur arrivée dans leur milieu de travail.

— la principale réaction des collègues masculins sera de féliciter ouvertement la travailleuse qui réussit;

— la très grande majorité des répondantes considèrent que, pour leur supérieur, leur opinion compte autant que celle d'un collègue masculin;

— une faible proportion des répondantes considèrent le harcèlement sexiste ou sexuel dans leur milieu de travail comme un problème grave ou très grave; le problème est jugé grave par 3,8 pour cent des diplômées universitaires;

— la presque totalité des répondantes (au-delà de 95 pour cent) se déclarent satisfaites de travailler dans un domaine masculin.

L'étude tire la conclusion suivante: «Les résultats de cette recherche révèlent une situation qui s'éloigne passablement du mythe qui entoure le vécu des travailleuses non traditionnelles. On imagine ces travailleuses, à l'usine ou sur les chantiers, occupées à des tâches techniques exigeant une bonne dose de force physique et un moral capable d'affronter les sarcasmes de confrères hostiles. La réalité est tout autre (...) Les relations avec les collègues et le supérieur s'avèrent plus harmonieuses que conflictuelles». [37]

On a demandé à ces travailleuses quelles mesures il faudrait prendre pour favoriser chez les filles un choix de carrière non traditionnel. La première de ces mesures concerne l'information. Parmi les suggestions, aucune n'a trait à l'attitude des hommes. Bien sûr, tout n'est pas parfait, le rapport fait quelques propositions pour améliorer encore les choses mais un constat ressort avec une évidence à vous crever les yeux: ces étudiantes et travailleuses sont très satisfaites de leur choix et elles jugent très bon l'accueil que leur font les hommes.

Les auteurs de l'étude -Michèle Berthelot et Nicole Coquatrix- ont interviewé des mécaniciennes, des réparatrices d'appareils électroniques, des photograveuses, des bouchères, des techniciennes en différents domaines, des policières, des inspectrices, des comptables, des avocates, des architectes, des économistes, etc.

Alors, qu'est-ce que cela signifie?

Cela signifie en clair que nous ne vivons pas dans le genre de société que nous décrivent les doctrinaires du féminisme. Aucune agressivité, aucune «misogynie triomphante» n'empêche les femmes d'occuper dans la société des postes traditionnellement dévolus à des hommes. Celles qui le font ne se sentent pas sur un champ de bataille et se félicitent au contraire de leur choix. Elles vivent en harmonie avec les hommes.

Voilà ce que nous révèle l'étude des faits.

Voici maintenant ce que raconte une idéologue: «Marc Lépine s'entendait bien avec les femmes qu'il pouvait considérer comme des inférieures. Il se montrait gentil et généreux avec sa voisine qu'il «crousait» un peu. Mais il ne pouvait tolérer celles qui avaient l'audace de s'insérer dans le monde des hommes, à la place des hommes. Des milliers de femmes vivent quotidiennement la même hostilité, la même misogynie, le même anti-féminisme, qui se manifestent par une multitude d'attitudes et de comportements allant de la plus subtile finesse à la plus indécente grossièreté. Pour beaucoup d'entre nous, cette hostilité palpable et l'ostracisme qui souvent l'accompagne nous ont amenées à nous taire». [38]

De deux choses l'une:
— ou bien les 851 femmes interrogées par les enquêteuses du ministère de l'Éducation sont sourdes, aveugles et complètement coupées de la réalité;
— ou bien c'est Simone Landry qui est sourde et aveugle.

J'opte pour la deuxième hypothèse.

Mme Landry, qui pourtant enseigne dans une

université où la clientèle est majoritairement féminine, voit comme des persécutées les femmes qui s'introduisent dans les métiers traditionnellement masculins. Interrogées, ces mêmes femmes disent le contraire. Qu'est-ce qui empêche cette universitaire, comme beaucoup d'autres d'ailleurs, de voir clair?

Edgar Morin formule le principe suivant: «Une conviction bien assurée détruit l'information qui la dément».[39]

Autrement dit, quand on veut mordicus croire en une chose, on s'arrange pour ne pas voir l'information qui contredit notre croyance.

«Il faudrait tout un livre, écrit Morin, pour montrer comment on réussit à ne pas voir ni savoir. Effectivement, ce qui agit en nous, à la fois obscurément et extra-lucidement, c'est la volonté d'empêcher l'information d'atteindre l'idéologie. Alors, elle détourne l'information, c'est-à-dire s'en détourne. L'idéologie fait exploser l'information («bobard! mensonge! calomnie!») pour que l'information ne la fasse pas exploser.

«Qu'est-ce qu'une idéologie du point de vue informationnel? C'est un système d'idées fait pour contrôler, accueillir, refuser l'information».

C'est ainsi que toute une génération d'intellectuels français s'est volontairement aveuglée sur la nature réelle de l'URSS, «patrie de l'émancipation de la classe ouvrière». Tout ce que faisait l'URSS était bien. L'information prouvant le contraire était disponible mais l'idéologie la refusait comme mensonge et propagande anti-communiste.

Nos féministes doctrinaires ont exactement le même comportement. Elles ne cherchent pas à voir ni à savoir mais avant tout à confirmer leur système d'idées fermé.

L'idéologie féministe a un besoin absolu de croire dans l'existence de la misogynie universelle. Sans cette «misogynie triomphante», tout un pan de la théorie s'effondre.

On a vu en 1984, la Centrale de l'enseignement du Québec produire un document invraisemblable sur la «violence sexuelle» à l'école. Les résultats étaient conformes aux a-priori des auteurs de l'enquête: tous les garçons péchaient contre les dogmes de l'égalité des sexes. 92 pour cent des filles s'étaient fait «déshabiller des yeux». Tous les comportements de flirt des garçons y devenaient de l'agression sexuelle. La façon de poser les questions et l'analyse idéologique que les auteurs ont faite des résultats conduisaient nécessairement au but recherché. Ce n'était même pas la peine de faire enquête.

Une journaliste de La Presse, Nicole Beauchamp, choquée par la façon dont ces syndicalistes avaient procédé, a pu écrire que «l'outrance choque le bon sens». «Cela, écrivait-elle, laisse un arrière-goût de puritanisme victorien, maquillé avec des concepts modernes. Au fond, cette enquête – et surtout l'analyse qu'en font les auteurs

– nous démontrent comment une idéologie radicale, malgré ses constructions rationnelles, peut déboucher sur le délire quand ses messages jouent sur les émotions fortes comme la peur. Les accents vindicatifs masquent mal la recherche du pouvoir imputée au méchant mâle».

La même année, le comité permanent sur la condition de la femme à l'Université de Montréal lançait une campagne contre le harcèlement sexuel sur le campus, avec une affiche et un slogan: «Brisons le mur du silence». Un service d'aide était mis sur pied, on allait venir au secours des victimes muettes. Tout ce qu'elles devaient faire, c'était de téléphoner au vice-rectorat (343-7565) «où l'on étudiera le problème en toute confiance».

Qu'est-ce que cela avait donné au bout d'un mois? «Nous n'avons reçu jusqu'ici que deux appels dont un ne concernait pas l'U. de M.», confiait à La Presse le vice-recteur Roland Proulx. Futé pour un vice-recteur, il en déduisait que le harcèlement ne semblait pas avoir une grande ampleur sur le campus. L'ampleur du phénomène n'avait donc rien de commun avec celle de la campagne destinée à le combattre. Notre brave vice-recteur concluait tout de même: «Nous croyons que la présente formule répond à la demande et s'il y a lieu, nous verrons à améliorer le service».

Voilà! En d'autres circonstances on aurait sans doute supprimé un service jugé inutile. Mais le vice-recteur n'était pas si fou...

Au printemps de 1990, un sondage nous apprenait que les Québécois – 33 pour cent des hommes et 31 pour cent des femmes – préféraient Sheila Copps à Jean Chrétien pour prendre la direction du Parti libéral du Canada.

Le 21 avril 1990, un sondage Crop, publié dans La Presse, révélait que:

— 88 pour cent des femmes et 73 pour cent des hommes souhaitaient qu'une femme devienne premier ministre du Québec;

— 94 pour cent des répondants pensaient qu'une femme ferait un aussi bon premier ministre qu'un homme.

En somme, dès qu'on se trouve devant des données objectives fiables, le résultat est toujours le même: les Québécois ont largement accepté que les femmes jouent dans notre société un rôle équivalent à celui des hommes. Le refus du phénomène est le fait d'une minorité. Quiconque vit dans cette société peut le constater, à moins de s'être mis des oeillères. Et cela explique pourquoi les grandes invitations à l'expiation, comme celle lancée par Maurice Champagne et compagnie, n'ont pas de prise. Les hommes, ici, n'entretiennent aucun sentiment de culpabilité vis-à-vis des femmes. La population en général est plus saine que ses prétendus guérisseurs.

Affirmer, comme le font les plus excitées du féminisme que Marc Lépine tirait au nom de tous les hommes contre des femmes qui volent leurs places, c'est s'entretenir volontairement dans l'aveuglement et la fabulation.

### Un fou ou pas un fou?

Un des débats les plus surréalistes a consisté à se demander si Marc Lépine avait fait un geste normal. On a pu lire et entendre des féministes nous dire que son geste était tout à fait clair. «Cet événement est tout à fait transparent et n'a rien d'inexplicable», écrit Armande Saint-Jean, qui ajoute, un peu plus loin, qu'il «s'agissait d'une tuerie qui reproduisait, à une plus grande échelle, une tragédie que plusieurs femmes, que *toutes* les femmes vivent de manière quotidienne»[40].

Donc, une parfaite rationalité: un geste comme toutes les femmes en connaissent quotidiennement, mais à une plus grande échelle. Une simple question d'échelle.

Dans La Presse, Francine Pelletier doute qu'il s'agisse vraiment de folie: «Si c'est de la folie ça, jamais n'aura-t-elle été aussi lucide, aussi calculée. Jamais folie n'aura-t-elle pris le soin d'identifier d'abord, d'éliminer ensuite, l'adversaire. Jamais folie n'aura laissé un message aussi clair. Le message est: il y a un prix à l'émancipation des femmes, la mort».

Tout est clair encore. C'est à se demander pourquoi on commente à ce point un geste si évident.

Une chose m'a frappé. On a pris au pied de

la lettre les explications de Lépine. Elles ont été commentées comme celles de n'importe quelle personne dans son état normal.

Pourquoi alors n'en a-t-on pas fait autant lorsque le caporal Lortie est entré armé au parlement avec l'intention de liquider le gouvernement? Il avait pourtant écrit qu'il en voulait aux «séparatistes»; c'étaient eux expressément qu'il voulait anéantir.

Ne s'agit-il pas d'un comportement identique à celui de Lépine? Où est la différence? Le caporal Lortie n'a pas improvisé son geste. Il n'est pas devenu fou tout d'un coup dans la rue. Il a préparé son expédition, s'est armé et c'est un hasard s'il n'a pas tué les «séparatistes» du gouvernement.

A-t-on fait de longues exégèses sur la portée anti-séparatiste de son geste? A-t-on parlé d'un geste parfaitement clair et limpide? A-t-on dit que le caporal Lortie n'était qu'un digne représentant d'une mentalité répandue dans l'armée canadienne?

Je n'ai rien vu de tout cela. Le caporal Lortie a été traité comme il le méritait: il avait déraillé, perdu la boule, s'était égaré. On le soigne. Il est sans doute fragile. Le parlement a fait l'objet de mesures de sécurité supplémentaires mais personne n'est tombé dans les délires de persécution.

Au nom de quoi le geste de Lépine est-il d'une nature différente?

La différence, c'est le bilan mortel. Lortie a

surgi armé dans une Assemblée nationale dé-
serte. Il s'était trompé d'heure mais avait quand
même eu le temps de faire quelques victimes au
passage.

Lépine a eu plus de «succès» si l'on peut
dire, mais la nature de son geste – l'assassinat
collectif contre un groupe donné – ne diffère pas.

L'affaire Lortie nous a appris quelque chose
de plus. Ces gestes déments finissent presque
toujours dans le suicide. Mais le caporal ayant
raté son coup, il s'est trouvé complètement
désemparé. Comment finir une histoire dont le
scénario prévisible ne marchait plus? Un grain
de sable s'était introduit dans l'engrenage de la
folie.

Si on avait eu affaire à un gars dans son état
normal, il aurait cherché à fuir, aurait pris des
otages pour se couvrir, bref aurait sans doute agi
comme on voit dans les films quand les bandits
veulent sortir de la banque où ils viennent d'être
encerclés.

Non, Lortie s'est assis dans le fauteuil du
président de l'Assemblée et a entamé un dialo-
gue avec le sergent d'armes. Il a finalement rendu
son arme sans résistance. Ce n'est pas la violence qui en est venu à bout mais l'intervention
subtile d'un homme qui l'a sorti de son cauchemar.

Quelle leçon fallait-il tirer du geste de Lortie?
Aucune. Personne n'en a tiré non plus. Quelle
signification peut-on trouver dans un geste aber-

rant, tellement exceptionnel et si peu prévisible que personne au parlement n'avait songé à se protéger contre cette démence?

Pourquoi le geste de Marc Lépine aurait-il plus de sens que celui de Lortie?

La seule façon de tirer une signification sociale du geste est d'en faire la conséquence ou, comme on l'a dit, «la pointe de l'iceberg», d'un état de misogynie et de violence permanente contre les femmes. Or il n'y a ni «misogynie triomphante» ni violence particulière contre les femmes. On cherche à prouver avec cette tuerie ce que l'on a déjà admis a priori.

Mais pourquoi Lépine a-t-il tiré exclusivement sur des femmes?

Chacun son délire. Autrefois on disait que quelqu'un «chavirait» sur la religion. Lortie a chaviré sur les «séparatistes». Lépine sur les féministes. Un autre demain chavirera sur l'immigration. Ou sur ses boss.

En 1989, en Californie, un dénommé Patrick Purdy est entré armé dans une école primaire de la ville de Stockton et a tué cinq élèves, tous des enfants d'immigrants du sud-ouest asiatique. Il avait déjà exprimé son ressentiment envers ces gens et les voyait comme des voleurs de jobs. Il se sentait menacé par ces immigrants – qui réussissent particulièrement bien – comme Lépine se sentait menacé par les femmes, surtout celles qui réussissent.

Y a-t-il d'autres hommes qui se sentent

menacés par l'avancée des femmes? Évidemment. Si les femmes au travail ne dérangeaient personne, cela voudrait dire qu'il n'y a pas grand progrès. Les femmes prennent des places qu'auparavant des hommes auraient eues avec plus de facilité. Il y a une nouvelle concurrence, les choses sont moins faciles pour beaucoup d'hommes et les plus faibles se sentent les plus menacés. Le même phénomène joue vis-à-vis des immigrants.

Il n'y a rien d'extraordinaire à cela. Comment réagissent les hommes? Dans la grande majorité des cas en s'adaptant, en apprenant à travailler avec les femmes, en chialant dans certains cas, en grognant parfois. Aucun changement social ne se fait dans l'allégresse absolue, il y a toujours des intérêts qui sont dérangés. Combien d'hommes réagiront avec violence? Très peu. La plupart des agressions contre les femmes surviennent dans des contextes de drame familial, de divorce mal accepté et de partage des enfants.

Aller tirer sur des femmes dans une faculté de génie est de toute évidence un geste d'énergumène qui n'a rien de commun avec le comportement moyen des hommes. Il faut s'être enfermé dans une logique absurde de guerre des sexes pour prétendre le contraire.

J'ai lu sous la plume de Jean-Paul Desbiens un saisissant rapprochement – quand on tient à son étiquette d'esprit progressiste, on ne cite pas

Desbiens, il me fait donc plaisir de le citer: «Voilà donc que tous les hommes sont des Marc Lépine occultes. Marc Lépine, lui, pensait que toutes les futures ingénieures étaient une menace». Même comportement, même esprit de persécution. Curieux. «La logique des émotions conduit au meurtre, écrit-il encore. Il y a beaucoup de meurtres différés ou refoulés, faute de pouvoir». C'est exactement l'impression que me laisse la lecture des écrits féministes les plus violents.

### Le mystère

Enfin, pourquoi Lépine a-t-il tiré plutôt que d'écrire ou de crier que les féministes sont menaçantes?

C'est là que toutes les explications tombent. La folie nous échappe. «La folie est la structure de l'inconnu: on invoque la folie quand on ne trouve pas de causes assignables et acceptables.» C'est encore Desbiens qui parle.

Tous les tueurs ne sont pas des fous. On comprend quelqu'un qui tue pour de l'argent. Du moins le pense-t-on, car le geste a une cause assignable et paraît logique pour parvenir à une fin. Mais quelle fin poursuit celui qui tue 14 femmes prises au hasard et qui se suicide?

On aura beau dire, la logique profonde de tels gestes nous échappe. C'est bien pourquoi ceux qui ont appelé à garder le silence n'ont pas été si bêtes. Une tuerie pareille apparaît aussi absurde qu'une catastrophe qui vient décimer bêtement une population. Et l'on sait que l'absurde peut revenir. Personne n'est à l'abri. La peste, nous a prévenus Albert Camus, demeure une menace sourde et permanente. «Plus jamais», dit l'affiche fabriquée après le massacre de Polytechnique. Plus jamais quoi?

Mieux contrôler les armes? Si l'on veut, mais on n'arrêtera pas la démence à coups de règlements. Quelqu'un encore perdra la boule. Où, quand, contre qui? Si on pouvait savoir... Une démente a failli tuer récemment, d'un coup de couteau à la gorge, Oskar Lafontaine, l'homme politique allemand. Elle s'était présentée avec un bouquet de fleurs.

On n'a pas le choix. Il faut vivre avec la possibilité qu'un jour on se trouvera sur la trajectoire d'un illuminé, seul à comprendre le sens profond de son geste. Je citerai pour finir sur ce point, ce que dit Bruno Bettelheim: «Quoi que fasse un être humain par rapport à une situation dans sa vie, c'est ce à quoi il peut penser de mieux. Cela peut sembler inadapté, cela peut sembler stupide aux autres, mais, pour la personne elle-même, c'est la meilleure solution qu'elle puisse trouver au problème qui se pose à elle dans l'instant: c'est la plus haute expression de ce qu'elle peut faire. Quels que soient les effets de ce qu'elle décide de faire, aussi destructeurs puissent-ils être parfois: pour la personne qui agit, cela n'apparaît jamais ainsi.» [41]

Bettelheim pensait ici à ses enfants autis–

tiques. Mais comment ne pas penser aussi aux Lépine, Lortie et autres énergumènes dont la conduite nous paraît si insensée?

# 7- LETTRE AUX JÉROLAS DE L'ÂME MASCULINE

*MM. Maurice Champagne*
*et Marc Chabot,*

Ainsi donc j'appartiens à une culture masculine dominée par la maladie de la violence. Vous m'avez écrit cela dans un lettre parue dans La Presse du 8 décembre 1989, deux jours après la tuerie de l'École Polytechnique.

Vous me parlez sur le même ton que toutes ces papesses qui me disent que j'ai appuyé moi aussi sur la détente du fusil de Marc Lépine.

Les hommes, me dites-vous, éprouvent de la rage contre les femmes. Le mot revient trois fois dans votre gentille lettre.

Les hommes sont malades d'une rage millénaire, rage contre tout le monde, contre la couche d'ozone, les résultats des filles à l'école, contre soi-même, contre la nature... et sans doute aussi les ratons laveurs.

Nous ne sommes pas beaux à voir. Tous des malades et des enragés. Votre duo me fait penser aux anciens Jérolas qui s'illustraient dans la caricature.

Mais à bien y penser, vous seriez plutôt une paire de docteurs Knock. Le célèbre médecin de Jules Romains avait décrété que tous les habitants de son village étaient malades.

Vous, vous avez donc diagnostiqué une rage

généralisée chez les hommes contre tout ce qui bouge. Comme toubibs de cette pauvre âme masculine, cela vous fait un sacré fonds de commerce. Le boulot va pas manquer.

Je devrais donc, selon ce que vous dites, prendre ma part de responsabilité dans le geste de Lépine et descendre dans la rue en silence pour méditer sur mon péché originel de rage.

Non, docteurs. Je me suis palpé partout, je me suis regardé dans le miroir, droit dans les yeux et je n'ai rien trouvé. Pas le moindre petit remords. Pas la plus petite trace de culpabilité. Suis-je normal? Suis-je un homme teflon sur qui rien ne colle? Un sans-coeur?

Je vous fais un aveu, chers docteurs. Je ne crois pas à ces histoires de culpabilité universelle. Je pense même que c'est des inventions pour esprits torturés.

Chacun ses problèmes. Je ne pense pas être né dans le péché originel de rage masculine. Je ne crois donc pas non plus dans la nécessité de me couvrir de cendres sur la place publique.

Tout simplement, docteurs, je ne me sens pas responsable de la folie des autres. J'assume mes actes à moi, point. Si je réussis un bon coup, quelque chose de formidable, on ne viendra me féliciter en m'attribuant le génie millénaire des hommes. Alors, je ne vois pas pourquoi je prendrais sur mes épaules ce que vous appelez la rage millénaire des hommes, parce qu'un gars a déraillé.

Vous, vous êtes bien bons. Vous voulez expier pour nos fautes millénaires et porter la croix sur un bout de rue. Allez-y donc! Mais moi, j'ai toujours trouvé un peu étrange la procession des belles âmes qui font en public des actes d'expiation universelle. Ces gens-là ont l'air de me dire qu'ils sont bien vertueux et que je suis bien méchant.

Je veux bien être encore une fois du côté des salauds, car je n'aime pas les processions.

Et puis, je vais laisser faire aussi pour votre autre prescription: que des femmes et des hommes se mettent à écrire des textes ensemble pour approfondir les événements... voyez-vous, je n'ai jamais cru non plus dans ce genre de nounounerie.

Mais, il y a tout de même, docteur Champagne, quelque chose qui me chicotte. Vous avez dit déjà dans une interview au magazine La Vie en Rose (décembre 81) la chose suivante: «À côté de la théorie freudienne qui veut que les femmes se sentent frustrées ne pas avoir de phallus, n'y a-t-il pas lieu de considérer sérieusement l'hypothèse d'un sentiment profond d'infériorité et d'impuissance chez les hommes, dû au fait qu'ils ne peuvent enfanter.» Vous souhaitiez, docteur Champagne, pour bientôt «la possibilité de grossesse chez les hommes».

Sur ce point, je me trouve assez d'accord avec ce que dit Simone de Beauvoir. Freud a émis ce genre de théorie, écrit-elle, parce qu'«il ne connaissait la femme qu'à travers des cas cliniques; ses patientes souffraient d'inhibitions sexuelles, elles étaient mécontentes de leur condition. (...) Freud a avoué lui-même à la fin de sa vie qu'il n'avait jamais rien compris aux femmes».[42]

Si les patientes de Freud qui souffraient de l'absence de zizi étaient des «cas cliniques», en quoi sont-elles différentes d'un homme frustré de ne pas enfanter?

Êtes-vous bien sûr docteur Champagne, d'avoir jamais compris quoi que ce soit sur les hommes? Et s'ils n'étaient pas tous des malades atteints de la rage millénaire ou des frustrés de la maternité?

Êtes-vous sûr de vraiment bien vous sentir, docteur Champagne? Voyez donc votre collègue!


*Un salaud*

# Traduction

«Avez-vous déjà remarqué comment les femmes ont le sens de l'espace très différent de celui des hommes? Dans le métro, par exemple, regardez les femmes de tous âges qui sont assises, qu'on soit à l'heure de pointe ou non: 98% ont les jambes refermées. Elles ne prennent pas de place. Leur aura a l'air vraiment plus restreinte que la nôtre. Ou c'est leur absence de sens du territoire. Allez savoir. De quatre choses l'une: 1. «Ca n'a pas besoin de respirer cette affaire-là», comme dirait un humoriste; 2. il y a quelque chose qui leur manque entre les jambes, ou, au contraire; 3. elles veulent montrer qu'elles n'ont pas ce fameux quelque chose entre les jambes; 4. elles sont simplement des mémères et des maniérées. Au choix. La réalité doit être un mélange équitable des quatre suppositions.»

Un salaud, 1990.

Et voici le modèle original:

«Avez-vous déjà remarqué comment les hommes ont le sens de l'espace très différent de celui des femmes? Dans le métro, par exemple, regardez les hommes de tous âges qui sont assis, qu'on soit à l'heure de pointe ou non: 98% ont les jambes écartées. Ils prennent toute la place. Leur aura a l'air plus large que la nôtre. Ou c'est leur sens du territoire. Allez savoir. De quatre choses l'une: 1. «Faut que ça respire ces affaires-là», comme dirait Clémence; 2. ils ont quelque chose de trop entre les jambes qui les gêne, ou, au contraire, 3. ils veulent montrer qu'ils ont ce fameux quelque chose entre les jambes; 4. ils sont simplement grossiers et sans aucun raffinement. Au choix. La réalité doit être un mélange équitable des quatre suppositions.»

Hélène Pedneault
(La Vie en Rose, no 22, page 13)

# Les ravages
# du patriarcat

# 1- LE POUVOIR AFFAMEUR

L'homme ne pense qu'à ça. Un obsédé.

Dans La Presse du 29 mars 1989, une jeune chroniqueuse, France Paradis, me renseigne sur mon héritage: «Spectateurs passifs, les pères ont transmis leur rôle traditionnel aux petits garçons d'hier: pourvoyeurs silencieux, insensibilité inébranlable aux rigueurs de la vie, dépositaires du Pouvoir à tout prendre, à tout prix, à tout crin».

Comme je n'ai pas encore ressenti les effets de l'héritage paternel, il faudra que je me palpe un peu mieux, ça doit bien se trouver quelque part. Car l'état normal de tout homme ordinaire est l'abus du pouvoir dans le but de tuer. C'est ce cher Dorval Brunelle, professeur à l'Uqam, qui nous le rappelle: «Le constat est clair et la preuve est faite: dans l'état actuel des choses, les hommes sont incapables d'instaurer l'égalité des sexes. Ce qu'ils concèdent d'un côté, dans des chartes ou dans des lois, ils l'enlèvent avec fureur de l'autre en anéantissant des valeurs et des vies». (Le Devoir, 12-12-89)

La nouvelle bible du féminisme sur la question du pouvoir s'intitule «La fascination du pouvoir» de Marilyn French [43]. C'est un énorme livre qui prétend refaire l'histoire du monde, depuis les singes primitifs jusqu'à aujourd'hui. Excusez du peu!

Toute l'histoire de l'humanité ne serait

qu'une longue dégradation à partir d'un état primitif de partage familial et de participation à la nature. C'était l'âge d'or d'avant le patriarcat. Puis tout s'est mis à se gâter: les humains découvrirent qu'ils étaient distincts de la nature, qu'ils la dominaient et pouvaient la contrôler. Et comme la femme est identifiée à la nature, elle fut dominée. L'humanité entra dans l'ère du pouvoir à tout prix. Le pouvoir est devenu le bien suprême auquel tout doit être sacrifié. Nous sommes encore dans cette ère du culte du pouvoir, un culte qui s'est étendu à la planète entière et qui impose sa morale.

Où en sommes-nous? Après tant de siècles de dégradation patriarcale nous nageons évidemment dans l'horreur la plus totale. L'auteur trace de notre époque un tableau d'une noirceur inouïe: des massacres partout, et le totalitarisme qui nous menace tous, autant dans les pays de l'Ouest qu'à l'Est (le livre date de 1985). Là où il n'y a pas de dictateur se trouvent les multinationales, ces monstres impersonnels qui finiront bien par nous bouffer tous. Big brother est à nos portes. Ajoutez à cela la destruction de la planète, les centrales nucléaires, la violence généralisée... Bref, c'est «l'enfer sur terre», mon vieux, comme le dit si bien l'auteur.

Le remède à cette apocalypse? Le féminisme, naturellement. Mais avant d'en arriver au chapitre de la rédemption, arrêtons-nous un instant sur le sens de pareil exercice.

Il faut une bonne dose de naïveté ou de prétention, je ne sais lequel l'emporte, pour vouloir
nous faire avaler des théories semblables. On
n'a qu'à lire les conclusions auxquelles aboutit
l'auteur sur l'état de notre monde pour se rendre
compte d'une chose simple: l'histoire du monde
est si riche de tout qu'on peut lui faire dire
n'importe quoi. L'auteur nous annonçait l'apocalypse il y a à peine cinq ans. En réalité, le
millénaire s'achève sur l'idée, mieux répandue
que jamais, de la prédominance du droit sur la
force. «Pourvou que ça doure»!

Dans un livre publié en 1987 [44], Colette
Beauchamp reprend comme en écho la théorie
de Marilyn French. Le «pouvoir mâle» est affa-
meur et meurtrier. «*Un* (souligné par l'auteur)
individu mâle, avec le support et la complicité
d'autres individus du même sexe, peut affamer
une population entière – le nombre de millions
de personnes qui la composent n'est pas un obstacle –, la terroriser, la voler, la décimer, lui
refuser le droit de vivre humainement, et
accumuler à même ses sueurs une fortune personnelle incroyable». [45]

On aura remarqué l'insistance sur l'identité
sexuelle du monstre. Suit une description apo-
calyptique de l'état de notre monde, à peu près
invivable. «Un cauchemar réel» nous dit l'auteur.
«Les chefs s'occupent des affaires importantes
de l'État (le Pouvoir, l'Argent, la Guerre). Pendant ce temps, cinq cents millions de personnes

sont affamées, huit cents millions illettrées (en majorité des femmes) et un milliard et demi manquent de soins médicaux élémentaires (...) Au Canada, un-e enfant sur cinq vit dans la pauvreté, aux États-Unis, c'est un-e enfant de moins de six ans sur quatre et un-e enfant de race noire sur deux – encore que leur situation soit privilégiée par rapport aux centaines de millions d'enfants qui meurent de faim».

Emportée dans son élan sur les horreurs du pouvoir mâle, Mme Beauchamp nous lance les chiffres les plus aberrants. L'important n'est pas de vérifier mais de trouver des chiffres qui font l'affaire de la thèse. Quand on sait qu'il meurt 50 millions de personnes par année sur toute la Terre, tous âges et toutes causes confondus, combien faut-il de siècles pour arriver aux «centaines de millions d'enfants qui meurent de faim»? Ses statistiques sur la pauvreté sont de la même farine.

Encore une petite chose: il paraît que nos affreux chefs d'État mâles ne s'occupent que du pouvoir, de l'argent et de la guerre. Reste encore à expliquer pourquoi, là où vit madame Beauchamp, l'État consacre l'essentiel de ses ressources à l'éducation et à la santé. Voilà un fait sans doute moins important que la nécessité de suivre les traces de M. French et de noircir à outrance le bilan de plusieurs millénaires de «patriarcat».

Mais il y a de l'espoir. «Le système patriarcal

craque» nous annonce Simone Landry: «Principales porteuses des valeurs de sollicitude et de compassion qu'on leur a abandonnées tout en les dévalorisant, valeurs pourtant essentielles dans l'économie du genre humain, les femmes doivent continuer de prendre leur place dans toutes les sphères de l'activité humaine où leur seule présence peut graduellement amener un changement sans lequel notre disparition et celle de notre planète sont inévitables». [46]

La «seule présence» des femmes nous délivrera donc du Mal et de l'apocalypse finale.

Mais là, il y a toujours un petit malin pour amener sur le tapis le cas Thatcher. Ha, celle-là!

Faux problème en fait. Mme Thatcher, c'est la «femme-alibi», nous garantit Colette Beauchamp. «Margaret Thatcher est le pire des mecs qui soient», lance Marie Cardinal dans une entrevue à la Vie en Rose (mai 84). S'agissait d'y penser: c'est un «mec».

Quel personnage aujourd'hui symbolise la douceur, la victoire de la compassion sur la brutalité, de l'esprit sur l'arbitraire, le «velours» au pouvoir? Le Tchèque Vaclav Havel. Faudrait demander à Marie Cardinal: Havel est probablement une «gonzesse».

## 2- LE SAVOIR «MÂLE»

L'homme a fait de la philosophie, de la science, de la littérature mais tout cela est pourri par le phallocentrisme. Nicole Brossard résume en quoi le féminisme, comme théorie, est appelé à repenser tout le domaine du savoir et du rapport à l'univers: «Si nous pensons que l'humanité (la nôtre et cela doit nous suffire) n'a aucune chance de survie en continuant dans le sens des valeurs patriarcales, nous nous devons de repenser notre rapport à l'univers, à la société, à la nature, au corps, à la technologie, voire même à la pensée linéaire et à son mode de construction binaire. Nous devons faire en sorte que nos interventions théoriques soient initiatrices de valeurs et de propositions nouvelles. C'est à mon avis la tâche théorique la plus difficile à accomplir car elle requiert un effort d'imagination qui dépasse largement l'effort de compréhension que nécessite la théorie comme observation et interprétation des faits. Cet effort théorique nous amène à la toute limite de la réalité et de la fiction, de l'histoire et de l'utopie, de la science et de la connaissance». [47]

Il s'agit donc, si on a bien compris, de repenser le savoir en tant que relation au monde. De quoi accuse-t-on la pensée «mâle»?

De diviser les choses, de privilégier le savoir «objectif» et la domination du monde, de ne pas envisager les choses globalement, de ne pas avoir su intégrer l'irrationnel, le mouvant, le subjectif. Une bonne partie de la critique féministe du savoir se trouve dans la dénonciation permanente que l'on fait de la notion d'objectivité. J'y réponds plus loin.

Le savoir des hommes n'est assez «globalisant» nous apprend un journaliste stagiaire dans La Presse du 19 août 1989: «L'information au féminin est en marche. Mais les femmes journalistes demeurent malheureusement une minorité visible. Plus encore, il reste à faire naître une vision féminine de l'actualité, associative et globalisante».

Les grands mots sont lâchés. Associative et globalisante. L'homme disjoint, divise, défait, la femme recoud, associe, englobe. Tout le mauvais d'un côté, tout le bon de l'autre.

Marilyn French soutient que le patriarcat, avec son objectif du contrôle social, a imposé le cloisonnement du savoir. «Compartimenter celui-ci en l'insérant dans des disciplines rigides signifiait bannir non seulement certains types de connaissance, mais aussi certaines approches de l'expérience de la vie. Alors que, au Moyen Âge, le savoir avait pour objet de «déterrer l'ancienne Parole en retrouvant les lieux secrets où l'on avait bien pu l'enfouir», au XVIIe siècle, «il lui faut fabriquer une langue» qui permette l'analyse et le calcul. Avant que la conscience subisse cette mutation, la pensée était à la fois linéaire (logique) et circulaire (associative). Après, seule la pensée linéaire eut droit au respect, la pensée associative et méditative étant abandonnée à la poésie.» [48]

La prédominance du savoir logique avait pour but, poursuit l'auteur, de mieux contrôler le monde. Le savoir était perverti en une forme de pouvoir.

Ce savoir s'exprime, bien sûr, dans la langue du vilain, comme nous l'apprend une autre auteur, Christine Klein-Lataud: «...Cette langue phallique impose son ordre au monde, elle l'appauvrit, le borne, le quadrille de façon policière. Que l'on songe aux termes utilisés couramment par les linguistes: il est toujours question de découpage du réel. Les hommes «esclaves de la raison dans le langage», ont créé une langue anti-vie, une langue de bois, vidée de sève, qui consacre le dualisme mutilant esprit/matière... Langue «morte», la langue des hommes est aussi langue de mort (...) Historiquement, elle est celle des maîtres, des «phallus casqués» qui ont mis, qui continuent à mettre la planète à feu et à sang. Les valeurs qu'elle célèbre sont celles de la mort.»

Face à l'horreur, se tient heureusement la salvatrice parole féminine: «L'écriture féminine est militante: elle se propose de changer le monde en inventant une parole autre, qui sera celle de la vie». [49]

Toujours le même thème, toujours la même rédemption: l'homme égale mort, la femme égale vie. Toujours le même procès et le même manichéisme.

À propos de la connaissance encore, Colette Beauchamp prononce la sentence finale: «Tout le bagage de connaissances et de performances scientifiques accumulé n'a abouti qu'à la montée incroyable du totalitarisme dans le monde, à l'augmentation du nombre de pays qui vivent actuellement sous la dictature».[50]

Aux mains des hommes, le savoir et la technologie ne servent qu'à des fins de destruction. Un document de la CSN publié en 1985[51] nous en informe bien: «Si on regarde l'ensemble des nouvelles technologies issues de notre monde d'hommes, force nous est de constater qu'on utilise celles-ci le plus souvent à des fins de guerre, de répression et de pouvoir. Si les femmes, les mères, avaient davantage accès au monde scientifique, n'orienteraient-elles pas ces sciences vers le pacifisme, l'écologie plutôt que l'armement? S'il y avait davantage de femmes en informatique, ne développerait-on pas des systèmes moins centralisés, plus accessibles, orientés vers les besoins des utilisatrices et des utilisateurs plutôt que vers ceux du pouvoir?»

Variation syndicale sur un air connu. Voilà des gens qui publient des documents en quatre couleurs en se servant des derniers développements de l'imprimerie, qui font composer leurs textes sur ordinateurs, qui en font probablement des épreuves sur des imprimantes au laser, pour nous dire que la technologie moderne, malheureusement entre les mains des hommes, sert surtout à la guerre. Il ne reste plus qu'à rentrer chez soi dans sa voiture à allumage électronique pour aller faire son souper au four micro-ondes avant de prendre des nouvelles de notre monde en guerre (à cause de qui?) sur une télévision à télécommande.

## 3- LE VIDE ET LA GLACE

Dans leur critique du savoir masculin, des féministes en profitent aussi pour invalider à peu près tout ce que l'homme a réalisé dans les arts. Dans l'article cité plus haut, Christine Klein-Lataud nous apprend que les contraintes lexicales, morphologiques et syntaxiques «ont partie liée avec l'ordre des hommes». Voilà donc la grammaire ravalée au rang des sombres complots mâles. À côté de cela bien sûr, «la parole des femmes est continuité, abondance, dérive...»

L'homme, nous dit l'auteur, est dénoncé comme «l'oppresseur, l'ennemi, mais c'est seulement dans la mesure où il s'identifie avec l'ordre phallique de l'idéologie dominante. Il peut refuser ce rôle, ce discours, et laisser lui aussi déferler la parole du corps». Ce que l'homme, cette brute, n'a jamais fait, évidemment, en 25 siècles de littérature. Mais nous allons apprendre. «La littérature féminine militante veut détruire l'ordre absurde, oppressif, mensonger que les hommes ont imposé, mais elle les appelle à partager avec elles la «jouissance de vivre». En instaurant la parole du corps, elle les invite à redécouvrir eux aussi «ce corps dont ils se sont absentés». La «parole de femme» est celle de la vie et de l'espoir». Ouf! il était temps que cela arrive.

Dans le même livre, quelques pages plus loin, Suzanne Lamy, commentant une oeuvre de

Yolande Villemaire, écrit qu'«en regard des hommes qui ne savent dire que la glace, le vide ou l'échappée dans les bois, cette jouissance dans le langage et dans le jeu de mots me ravigote». Bon, les hommes n'ont pas fait grand-chose de valable (la glace, le vide...) mais est-ce vraiment si mal de «dire le vide» ? Madeleine Ouellette-Michalska m'instruit, elle, du fait que «chez les écrivains hommes, le plein a cessé de faire l'unanimité. Le vide commence à être défini comme lieu d'écriture. Mais, comme si cette problématique était incompatible avec le discours masculin, on met parfois ces propos dans la bouche d'une femme.» [52]

Voilà donc un beau sujet de thèse pour aspirant à une bourse du Conseil des Arts: «Le vide: proche parent de la glace ou lieu privilégié du discours féminin?»

Ouellette-Michalska définit ainsi les caractéristiques majeures du féminin de l'écriture à l'heure actuelle: «Restitution du corps, de la présence, de la mobilité et de l'instantanéité de la parole, mélange des genres, suppression de la démonstration linéaire». [53] Un petit groupe d'auteurs servent à démontrer cette thèse. Devant la révolution du féminin, «des censeurs s'interrogent. Mais où donc est sa méthode? Où est l'analyse, l'esprit de synthèse, l'argument clef pouvant satisfaire la raison ?» [54] Il va de soi que nous sommes devant une véritable révolution du langage par rapport à la «loi phallique». Dans toute la littérature des hommes, il est clair que les romans, le théâtre, la poésie se font par analyse, synthèse et arguments qui satisfont la raison...

L'auteur prend soin de dire que le féminin de l'écriture n'est pas spécifique à la femme mais qu'il lui est plus familier. Le discours masculin, lui, est associé aux grands genres, au grand style, aux «démonstrations verticales converties en obsessions généalogiques».

L'auteur aura beau dire, on se retrouve encore devant le bon vieux manichéisme des valeurs.

Dans l'Euguélionne, Louky Bersianik affirmait n'avoir aucune admiration pour les oeuvres des hommes. «Je n'ai pas d'admiration et mon émotion devant eux se pourrit et s'empoisonne par le fait même, je n'ai pas d'admiration pour les chefs-d'oeuvre des Hommes, parce qu'ils ont été possibles grâce au massacre de l'intelligence et de la sensualité de la moitié de l'Humanité tout au long des siècles». [55] Moi qui écoutais Beethoven en toute innocence, me voilà mieux instruit de la source véritable – et assassine – de son talent.

«Et regardez, dit encore l'Euguélionne, comme l'Art leur est resté collé entre les doigts comme une poisse». Les salauds!

Enfin, il faut lire Marilyn French encore pour apprendre que le discours mâle est «en général caractérisé par l'omission de la femme, du corps et de l'affectivité.»

L'auteur prend pour point de départ la langue du monde technologique: une langue sèche, remplie de constructions impersonnelles, vidée de toute affectivité. «Il s'agit là essentiellement d'un langage d'hommes», nous dit l'auteur. Et nous apprenons par la suite que des féministes ont riposté à ce langage dans la «littérature féminine».

Admirons le procédé: à la littérature féminine, l'auteur oppose la langue masculine de la technologie. Tant qu'à y être, pourquoi ne pas comparer un poème écrit par une femme au guide de montage d'un meuble d'Ikéa.

À côté de la pauvre langue des hommes, les féministes ont inventé, on s'en doute, un langage «différent, extrêmement expressif, fondé sur la personne et qui utilise largement l'imagerie féminine et traite même de vastes questions d'intérêt culturel ou public en termes d'expérience personnelle».

Cela nous vaut ensuite une de ces déclarations historiques et péremptoires dont Marguerite Duras a le secret: «Les hommes sont aujourd'hui complètement détrônés. Leur rhétorique est éventée, éculée. Nous devons adopter la rhétorique des femmes, qui est ancrée dans l'organisme, dans le corps.» Petite annonce: échangerais rhétorique, etc.

La même dame, en 1985, avait, dans une autre déclaration historique, averti le peuple français de ce qui l'attendait s'il ne votait pas socialiste: «Vous ferez partie d'une société que nous ne voulons plus connaître, plus jamais, et de ce fait, vous serez membres d'une société privée de nous: sans hommes véritablement et profondément intelligents, sans intellectuels, oui, c'est le mot qui va, sans auteurs, sans poètes, sans romanciers, sans philosophes, sans vrais croyants, vrais chrétiens, sans juifs, une société sans juifs, vous entendez?» Malgré l'annonce de tous ces malheurs, les Français n'ont pas voté socialiste en 1986. Les dix plaies d'Égypte ne leur sont pas tombées sur la tête mais ils ont toujours Marguerite Duras...

Enfin, Marilyn French nous montre, à l'aide de quelques auteurs, comment la littérature féminine réhabilite les processus corporels et fait éclater les règles habituelles de la syntaxe dominante. On y apprend enfin, pour achever de noircir le tableau, que «la sentimentalité est un péché mortel en littérature et discrédite la position de l'écrivain». Voilà donc comment, quand on fait une thèse sur les bienfaits du féminisme, on décrit la littérature, la bonne et la mauvaise. Question: de quoi est faite la bibliothèque de Marilyn French?

## 4- LE MYTHE DE L'ÂGE D'OR

Voilà donc, en gros (sections 1, 2 et 3), autour de quoi tourne le «procès» de l'homme.

Que peut-on répondre à cette façon de juger l'homme? D'abord sur la question du pouvoir. Comment prendre encore au sérieux, chez Marilyn French, toutes ces théories sur une espèce d'âge d'or ancien tout fait de tendresse, de partage et d'amour avant que la rage des hommes pour le pouvoir ne vienne tout gâcher. Les beaux esprits du 18e siècle se sont efforcés de croire au mythe du bon sauvage alors qu'ils étaient parfaitement informés de l'existence, dans les sociétés primitives, de la cruauté et de la barbarie. Il faudrait croire avec madame French qu'aux doux temps pré-patriarcaux, on ne s'est jamais cogné sur la gueule pour un morceau de gigot ou un bout de caverne.

Voici comment l'auteur nous décrit le monde primitif: «Oui, il a existé un jardin où nous cueillions des fruits et des plantes, où nous chantions sous la lune, et jouions et travaillions ensemble, et regardions les enfants grandir. Dans l'ensemble la vie était belle et nous nous adonnions aux arts et aux rites pour célébrer notre participation au spectacle grandiose et au processus de la vie. Nous étions liés à la Déesse et à son immanence dans la nature, la végétation et la lune, dans les animaux dont elle était la maîtresse. Et elle nous nourrissait généreusement -

la plupart du temps. La mort était une chose terrible, mais avec elle la Déesse nous reprenait dans son sein et, sans sortir du cycle de la vie, nous avions l'éternel retour» [56]. Qui dit mieux?

Si l'on a moins envie de rêver, on peut aussi lire ceci dans l'Histoire de la violence de Jean-Claude Chesnais: «Au commencement était la violence. L'Ancien testament s'ouvre sur le fratricide: Caïn assassine Abel; le Nouveau se ferme sur un martyre et une exécution: celle du Christ.

«La violence se manifeste partout dans la nature. Entre les espèces, depuis la création, la lutte est incessante. Au sein d'une même espèce, les combats sont permanents. (...)

«Chaque année, les archéologues font la preuve de la violence des civilisations primitives. Ils exhument des ossements humains. Pas toujours des squelettes (ou des morceaux de squelettes) intacts; souvent des crânes fracassés, des membres brisés. Chez nos ancêtres, la mort violente était fréquente: le cannibalisme et la guerre étaient pratiqués par les premiers humains. Régulièrement, les historiens redécouvrent la cruauté des civilisations qui nous ont précédés. Il n'est guère de sociétés où, pour apaiser la colère des dieux, on n'ait procédé à des sacrifices humains.» [57]

Chacun son histoire!

Celle des idéologues est généralement empreinte d'une sorte de masochisme tactique qui les pousse à trouver quelque part, loin d'eux, un terrain d'innocence, une zone vierge, un paradis préservé que nous, affreuses civilisations, avons irrémédiablement gâchés. C'est le mythe de l'innocence primitive et du péché collectif. Une nouvelle version de la faute originelle... avec la solution d'une rédemption... que l'idéologie, justement, est chargée de nous apporter. Comme quoi tout est bien qui finit bien.

Marilyn French voit l'histoire de l'humanité comme celle d'une dégradation progressive jusqu'au terrifiant tableau de la situation actuelle. On pourrait aussi, avec plus de vraisemblance, décrire l'histoire de l'espèce humaine comme une lente progression vers la conscience et la maîtrise de soi, comme l'avènement de la raison, la civilisation graduelle des moeurs, la scolarisation de plus en plus étendue des masses, la conquête des droits et de la liberté de conscience, le recul de la pauvreté, etc.

L'immense travail de Marilyn French fait penser aux tentatives démesurées des penseurs d'autrefois de constituer une philosophie de l'histoire: il s'agit de mettre au point une machine intellectuelle capable de fournir l'explication profonde du développement de l'histoire, sa logique immanente. Hegel, lui, avait embrassé 25 siècles d'histoire, lesquels conduisaient à la nécessité du christianisme, de la culture allemande et de l'État prussien. Le philosophe estimait que l'histoire avait atteint un point culminant sur le champ de bataille d'Iéna, ville où Hegel enseignait, le 14 octobre 1806 quand «l'Esprit universel à cheval» (Napoléon) écrasa les Prussiens.

La même philosophie devait être reprise par Karl Marx, qui la «remit sur ses pieds» et fit de la lutte des classes le moteur de l'histoire, du prolétariat le sauveur de l'humanité et de la révolution le moment suprême de l'histoire.

Cette façon systématisée de penser l'histoire de l'humanité hante toujours les esprits. L'histoire est un chaos d'événements qui défie la logique. Si l'on réussit à comprendre les ressorts profonds de la nature, pourquoi ne découvrirait-on pas la logique immanente de l'histoire?

Marilyn French prétend détenir la clé de plusieurs millénaires d'histoire – le patriarcat comme culte du pouvoir – et de leur aboutissement dans une «philosophie» qui sauvera l'humanité. On retrouve là le bon vieux schéma classique de la philosophie de l'histoire qui, chez Hegel, aboutissait comme par hasard dans sa cour arrière, tandis que chez French on débarque, par le même hasard sans doute, dans les plates-bandes du féminisme.

L'histoire devient une sorte de jeu légo où vous assemblez les pièces, au départ éparpillées et sans logique, pour arriver à une belle construction. Si vous voulez impressionner les badauds, vous en concluez que chaque morceau était fait logiquement pour se retrouver là où il est dans votre construction.

C'est ainsi que chez Marilyn French, le féminisme propose à l'humanité, juste au bon moment, «un nouvel ensemble de fins, d'objectifs humains, d'idéaux neufs». Une morale de salut après une traversée de l'histoire qui devrait logiquement aboutir à l'apocalypse. Comme nous le répètent tant de féministes ici, les «valeurs des femmes» doivent détrôner les «valeurs des hommes».

Idéologie de salut, ce féminisme a pour tâche, selon Adrienne Rich, de «changer l'existence humaine» et «la relation à l'univers», tout cela ayant été abîmé par l'homme. «La pensée elle-même sera transformée», nous apprend l'auteur de «Of Women Born», sans compter la politique, la sexualité, la maternité, l'intimité, la collectivité, le travail, le pouvoir et l'intelligence.

Ce messianisme n'est pas tellement nouveau. La Révolution française avait, dans l'esprit de ses acteurs les plus radicaux, la mission de régénérer les individus par un changement de régime. La Révolution (ou le putsch?) soviétique avait aussi pour tâche de produire un «homme nouveau». Est-ce un hasard si, dans les deux cas, la grandeur de la mission a commandé des procès en quantité industrielle et abouti à la terreur? Sommes-nous si loin des guerres de religion? Pas tellement en fait.

Le féminisme, comme il se formule chez ses idéologues, n'a fait que reprendre cette façon religieuse d'envisager le changement: mission rédemptrice universelle et procès du vilain dans ses pompes et ses oeuvres. Quant à la terreur, elle en reste pour l'instant au niveau verbal...

Relevons tout de même une contradiction fondamentale: on nous promet un bouleversement radical des valeurs, un renouvellement de la parole et des idées pour aboutir finalement aux vieilles lunes de la pensée politico-religieuse et manichéenne la plus classique. «Qui veut faire l'ange fait la bête».

# 5- LA CIVILISATION DU POUVOIR

La critique féministe du pouvoir équivaut finalement à une sorte de transfert de responsabilité. Comme les abus du pouvoir sont nombreux dans l'histoire et que ce sont presque exclusivement les hommes qui ont dirigé, les abus deviennent le fait de l'homme. Il faudrait logiquement en conclure que le pouvoir, s'il avait été exercé par les femmes, nous aurait épargné les guerres, les massacres, les génocides, les rivalités, les invasions, etc.

Il y a quelque chose de tordu dans ce raisonnement. Il est d'abord, on l'a assez souligné, foncièrement manichéen. Ensuite, il élimine le fait que l'humanité – et pas seulement les hommes – ne s'est civilisée que petit à petit, qu'elle est passée, même si ce n'est pas encore terminé, du dogmatisme et de l'exercice brutal du pouvoir, au pluralisme et à l'État de droit.

Qu'est-ce qui finalement civilise le pouvoir, le contraint, lui assigne des limites infranchissables? Les femmes? La religion? La bonne volonté, les bons sentiments? Les femmes au pouvoir auraient d'elles-mêmes consenti à se modérer à des époques où il était normal que l'État ait droit de vie et de mort sur les gens? Les bonnes âmes le croiront. Mais une connaissance même superficielle de l'histoire nous apprend que le pouvoir ne s'est civilisé que par l'apparition de contre-pouvoirs qui, par la force, ont imposé des idées nouvelles. Ces idées sont aussi le fait de l'homme. «Le pouvoir arrête le pouvoir», a dit Montesquieu. Ce sont très largement des hommes qui ont formulé et défendu les idées qui constituent l'héritage humaniste et la tradition de modération du pouvoir en Occident.

Car les sociétés occidentales sont issues de grandes révolutions, politiques et intellectuelles, qui ont fini par imposer les valeurs sur lesquelles nous vivons et qui sont la seule garantie contre les abus du pouvoir: l'État de droit, l'origine populaire du pouvoir, le pluralisme, la légitimité des contre-pouvoirs. Ces idées ont commencé à poindre il y a environ 300 ans, elle n'ont pas encore fini de faire leur chemin et ce sont jusqu'à maintenant les seules qui aient réussi à préserver les individus des abus de l'État. En dehors de cela, on ne rencontre que totalitarisme, arbitraire et dogmatisme.

Quant à expliquer comment ces idées sont apparues au 17e et surtout au 18e siècle, il vaut mieux s'en remettre aux explications des historiens qui croient aux méthodes empiriques, à la connaissance et à l'analyse des faits, que de se gaver de théories sur le patriarcat. Par un étrange aveuglement, on voit Marilyn French, obnubilée par la démonstration de sa thèse, minimiser les événements qui ont conduit à l'établissement des premiers états démocratiques. Il ne s'agirait que de réaménagement du pouvoir, une simple phase à l'intérieur de l'histoire patriarcale. La vraie révolution serait à venir, celle du féminisme qui nous fera retrouver le paradis perdu.

Les femmes elles-mêmes croient peu à ces théories et se servent des outils de base des sociétés démocratiques pour prendre la place qui leur revient de droit. Le mouvement féministe est en réalité l'héritier direct de la philosophie des droits humains élaborée au 18e siècle. Que les femmes n'en aient pas profité plus tôt n'est pas si étonnant. La France a mis cent ans, après sa révolution, à vivre vraiment en république. Une bonne partie de l'humanité subit toujours des régimes de type ancien. La simple notion de pluralisme y est encore révolutionnaire.

Ce n'est pas un hasard si ce sont les femmes des pays occidentaux qui accèdent les premières à l'égalité réelle des droits. C'est que cette égalité est inscrite dans les valeurs mêmes de ces sociétés.

En fait, il n'y a pas de «révolution» féministe. Nous sommes, hommes et femmes, les héritiers d'un processus de civilisation et d'humanisation du pouvoir qui est le véritable moteur du changement.

## 6- LA «RÉVOLUTION» DU SAVOIR

Il y a, dans la critique féministe du savoir, un abus de langage évident.

La science, le «savoir linéaire et logique», la science mâle qui divise et distingue serait responsable de tous les maux. Cul-de-sac et échec, nous dit-on. Cela a mis le monde à feu et à sang. Tandis que la pensée associative, elle...

En réalité, la science n'a jamais fait de mal à personne et elle a au contraire amélioré grandement le sort de l'humanité. Les civilisations qui n'ont pas développé ce type de savoir ne sont ni plus humaines ni plus douces que la nôtre. Les sagesses orientales n'ont jamais empêché le mariage du pouvoir et de la cruauté.

On voit la science comme une sorte d'arrogance du savoir. Elle est en fait la plus humble des formes de connaissance. La science, comme le disent des commentateurs contemporains (Karl Popper, Edgar Morin), ne se définit pas d'abord par la certitude ou la permanence de la vérité mais par l'ouverture à la réfutation, à la vérification et au changement. La vérité scientifique est biodégradable, écrit Edgar Morin. Jamais elle n'est absolue: la connaissance scientifique est méthodique, c'est-à-dire qu'elle marche par étapes, par petits pas, qu'elle n'atteint rien directement, qu'elle trace péniblement son chemin, revient sans cesse sur ses pas, corrige, recommence. Une vraie leçon d'humilité.

Ce n'est pas ce type de savoir qui a ensanglanté le 20e siècle, mais son contraire: le dogmatisme, l'alliance du pouvoir absolu et de la «vérité» érigée elle aussi en absolu. Crois ou meurs.

C'est la soumission de la science et de ses sous-produits à des idéologies délirantes de «salut» (toujours manichéennes d'ailleurs) qui a donné leur effarante dimension aux massacres du 20e siècle. Les communistes parlaient de «science prolétarienne», une «invention» qui ne tenait qu'à coups de supercheries, comme l'affaire Lysenko.

La question n'est pas de dénoncer la science mais de défendre comme une valeur sacrée l'indépendance du savoir. Il y a dans l'histoire des hommes une longue tradition de défense de l'intégrité du savoir face au pouvoir.

Marilyn French ne voit dans la pensée moderne (soit depuis environ 400 ans) qu'une étape de plus dans le perfectionnement des méthodes de domination du monde. On peut aussi y voir, avec Erasme, Thomas More, Galilée, Descartes, Montesquieu, entre autres, une volonté de soustraire le savoir à l'arbitraire et d'affirmer la primauté de l'esprit sur la raison d'État ou d'Église. Cet héritage-là, nous le devons à ces hommes.

### Les «esprits fins»

Enfin, il y a chez les auteurs féministes un aveuglement volontaire qui consiste à feindre d'ignorer les courants de pensée de type «existentiel» qui sont aussi le fait des hommes. L'histoire de la pensée ne contient pas que des scientifiques et des penseurs «linéaires», c'est-à-dire à raisonnement strictement «logique».

S'il y a des géomètres, il y a aussi des esprits fins, comme le dit Pascal, qui lui-même incarne le type du penseur «global» qui savait voir le monde avec d'autres yeux que ceux de l'arpenteur.

Cette forme de pensée se caractérise par le recours à une «subjectivité large», c'est-à-dire une vision du monde qui ne soit pas que scientifique mais qui fasse appel aussi aux intuitions, à la description du vécu, à l'affectivité. C'est une pensée «concrète» surtout orientée sur «l'existence» et qui répugne à l'esprit de système, aux constructions trop exclusivement logiques. Par exemple, le thème de l'angoisse se prête mieux à la description existentielle qu'aux chaînes de raisonnements classiques.

Des historiens des idées font remonter cette forme de pensée à la Bible. Ses racines seraient d'abord religieuses.

Dans l'histoire de la pensée occidentale, elle trouve une première source dans Socrate, le philosophe du «connais-toi toi-même». Les premiers penseurs grecs sont en général «concrets» et existentiels. Avec Platon et surtout Aristote naîtra une forme de pensée plus formelle. Ainsi coexisteront par la suite, dans l'histoire, les deux formes de pensée, la «rationnelle» et «l'existentielle». Depuis le milieu du siècle dernier, dans la foulée du penseur danois Soren Kierkegaard, le courant existentiel est particulièrement riche.

C'est une erreur historique ou de l'ignorance d'affirmer que les hommes n'ont rien su faire d'autre que de développer de grands systèmes rigides de pensée. Ils l'ont fait et ils ont aussi fait le contraire. L'histoire de la pensée est une suite de perpétuelles remises en cause.

«Il faut que nous les femmes, on foute la merde. Il faut qu'on soit vagues, qu'on démolisse cette sécurité de la science et de la connaissance, ces notions tellement viriles qui – on le sait maintenant au point où on en est arrivés en Occident – aboutissent à une impasse», affirme Marie Cardinal [58].

Allez-y, madame! Votre nom s'ajoutera à une liste déjà longue de sympathiques fouteurs de merde.

### Les violons de l'automne

L'aveuglement féministe sur le savoir mâle récidive sur la littérature.

Comment prendre au sérieux ces critiques qui nous disent que la littérature des hommes est vidée de la sensibilité, de la présence du corps, qu'elle est formelle et raisonneuse comme la langue de la technologie.

L'homme s'est exprimé dans le roman, la poésie, le théâtre et de toutes les façons: la littérature de style «grand genre» voisine les oeuvres folles, sensuelles, cochonnes, guindées, débridées, etc.

À côté du grandiloquent père Hugo, voici le petit Rimbaud, 17 ans, le «voleur de feu» qui voulait «changer la vie». Et puis voici le surréalisme, révolution du sens et de la forme. Comme celle des idées, l'histoire des lettres est faite d'écoles, de contre-écoles et de francs-tireurs.

On nous apprend que «le féminin de l'écriture» se caractérise, entre autres, par la suppression de la «démonstration linéaire» (Ouellette-Michalska). Quand on commence par installer «le masculin de l'écriture» dans un créneau aussi étroit, on peut s'accorder toutes les nouveautés.

Marilyn French caractérise la littérature des hommes par l'omission de la femme, l'absence du corps et de l'affectivité.

Une fréquentation sommaire de la littérature apprend à n'importe qui que les hommes se sont pleinement exprimés dans leurs oeuvres, corps et âme, tous azimuts. Aucune barrière ne les a arrêtés. Les sensibilités écorchées voisinent les audaces de formes, les Fleurs du mal appartiennent autant à l'homme que les sermons de Bossuet. Il faut avoir besoin de soutenir une thèse pour ne pas s'en rendre compte.

Qu'on affirme par ailleurs que les hommes n'ont pas pu exprimer ce que les femmes ont à dire, c'est une autre affaire. La femme est présente dans les oeuvres des hommes, mais à leur manière évidemment. Et cette manière est loin d'être unique.

Que les femmes fassent «leur» littérature, tout le monde est pour, surtout si ça se vend bien. Mais cela n'enlèvera jamais rien de leur beauté aux «sanglots longs des violons de l'automne».

## 7- UNE SALOPERIE: L'OBJECTIVITÉ

«Les femmes doivent abandonner la sacro-sainte objectivité, ce mythe, je dis bien ce mythe tenace entretenu par les hommes pour définir la coloration mâle de l'information».

Lise Payette
(colloque de la FPJQ, 1981)

«L'objectivité est un faux principe qui dissimule le parti pris masculin»

Colette Beauchamp,
(Le silence des médias, page 17)

«...nous nous contenterons de regarder et de commenter le monde qui nous entoure sans chercher refuge derrière les paravents sacrés de l'objectivité...»

La Vie en Rose, mars 1981

«L'information objective est un leurre total. C'est un mensonge. Il n'y a pas de journalisme objectif.»

Marguerite Duras
(citée dans la Vie en Rose, sept. 81)

«Il y a la subjectivité et l'honnêteté... Ne demandez pas au journaliste de vous donner des faits, il en est incapable. Il peut seulement dire: moi, être subjectif, j'ai vu les choses comme ceci...

L'objectivité est une idée du 19e siècle».
> Laurent Laplante
> (interview à la télé communautaire)

«L'objectivité existe, je l'ai rencontrée».
> Un salaud

L'objectivité a non seulement mauvaise presse, elle n'a plus de presse du tout. C'est même devenu une idée d'homme: c'est dire à quel niveau on l'a rabaissée. Et dans le grand train rose de la subjectivité, on retrouve, bienheureux à leur fenêtre, comme emportés dans un indicible bonheur, des journalistes, tel M. Laplante, qui ne croient plus aux faits mais seulement aux discours personnels. Ô joie de la parole libérée!

«Pecca fortiter sed crede fortius», disait Luther. Pèche tant que tu veux mais crois plus fort encore. La subjectivité, c'est comme le péché de Luther. On est dedans jusqu'au cou, il n'y a rien à faire, alors soyons subjectifs «à mort» mais – c'est le «crede fortius» – soyons terriblement honnêtes.

Ainsi, les journaux, les revues, les livres ne contiennent rien d'autre que des discours forcément personnels et parfois honnêtes. Si l'on tombe sur la géométrie d'Euclide, le Dialogo de Galilée ou un manuel de physique nucléaire, même combat: tout ça c'est du subjectif mais c'est vachement honnête.

La Terre tourne-t-elle? Soutenez-le si vous

voulez, tout ce que vous demandent M. Laplante et compagnie c'est d'être honnête.

Bon, supposons qu'on essaie de marcher un instant avec la théorie qui se porte ces années-ci. On pense donc que toute connaissance est une affaire personnelle et que nul ne peut prétendre être «objectif», c'est-à-dire parler d'un point de vue général, abstrait, qui ne serait pas un point de vue personnel. Madame Payette, appuyée par madame Duras et celles-ci applaudies par monsieur Laplante, estime que tout esprit humain particulier est un filtre déformant qui voit le monde à sa façon. Chacun a des préjugés, des manies, des goûts, des penchants, des intérêts, une culture propre... tout ça fait de vous un être singulier qui voit les choses à sa façon singulière. Par conséquent, tout discours est un discours singulier. Nul ne peut parler au nom de l'humanité, prétendre être «objectif», comme au-dessus de la mêlée. M. Laplante va plus loin. Nous sommes si peu fiables, que nous devons même nous interdire de parler de faits. Nous ne transmettons pas des faits mais des points de vue personnels.

Des féministes ajoutent que la prétention de tenir un discours «objectif» est une détestable manie mâle. Les hommes se sont toujours pris pour toute l'humanité, alors ils ont la prétention de parler «universel» et c'est encore un reflet de leur pouvoir. À bas le pouvoir mâle et vive donc la subjectivité!

Garçon, un café!

Une théorie c'est comme un cube de Rubik. Si on arrive à la fin du puzzle avec un morceau qui ne «fitte» pas, c'est que toute la solution est mauvaise. Moi, il y a un gros morceau que je n'ai jamais réussi à comprendre avec le discours du fan club de madame Payette. C'est le théorème de Pythagore.

Le Pythagore a découvert, il y a plusieurs lunes, que le carré de l'hypoténuse est égal à la somme des carrés des deux autres côtés. C'est le théorème que j'ai toujours le mieux retenu parce qu'il peut se mettre en poème:

> Le carré de l'hypoténuse
> est égal, si je ne m'abuse,
> à la somme des carrés
> des deux autres côtés.

Voilà des siècles que dure cette saloperie de théorème et ça marche toujours. Ca se promène comme ça, ça ne rouille pas et c'est toujours aussi infernalement vrai.

Et supposons qu'on découvrait que ce n'est pas Pythagore qui a trouvé ce truc-là mais qu'il l'a volé à son cousin Georges.

Qu'est-ce que ça changerait? demandez-vous.

Mais tout, voyons!

Sachez, peuple ignorant, que Pythagore avait ses préjugés, ses intérêts propres, qu'il était grec, mâle, peut-être borgne, misogyne, sado-maso, faux monnayeur, picoleur, nerveux de l'estomac et que toutes ces belles qualités déformaient sa sa vision du monde. Quand Pythagore parlait, ce qui sortait de sa bouche était évidemment coloré de tous les traits de sa charmante personnalité.

Si monsieur Laplante avait pu être là à l'époque, il l'aurait prévenu: monsieur Chose, votre théorème, c'est votre point de vue particulier, c'est votre façon de voir, vous êtes subjectif comme tout le monde... êtes-vous honnête, au moins?

Voulez-vous maintenant connaître Georges, le cousin de Pythagore? Non?

Vous pensez que le théorème de Pythagore se tient tout seul, qu'il n'a rien à voir avec l'estomac nerveux de son auteur, qu'il est indépendant, bon pour tout le monde et qu'il le sera tant qu'on ne trouvera rien de mieux.

Alors, vous croyez dans le savoir universel. Cela vous conduira loin.

Le savoir universel existe, on le rencontre chaque jour.

Qu'est-ce qui fait que le savoir universel existe?

Si on prend la théorie à la mode, l'universel existe parce que, à un moment donné, plusieurs opinions particulières et subjectives se rencontrent. Plusieurs esprits singuliers, avec toutes leurs «bibites», s'adonnent à voir de la même façon.

Tiens donc!

Cela me pose encore un petit problème. Il y a un coin du cube de Rubik qui ne «fitte» pas.

Cette fois-là sautons de quelques siècles et allons visiter Copernic. Un jour qu'il était sobre, ce brave Polonais en vint à la conclusion que c'est la Terre qui gravite autour du soleil et non l'inverse. Tout le monde, et les bureaux terrestres de Dieu-le-Père les premiers, croyaient l'inverse. Un homme, seul dans l'univers, avait raison contre tous.

Où se trouvait le savoir universel?

Chez l'homme seul.

L'universel existe et il ne vient pas du fait que des esprits s'entendent bien entre eux. Il peut être le fait d'un esprit original et isolé.

Qu'est-ce qui fonde alors le savoir universel?

On ne trouve pas de réponse à cette question dans les théories qui ne reconnaissent que la «subjectivité» ou qui nient la possibilité de la connaissance des faits.

Ces théories ne tiennent pas debout. Quand on se prononce péremptoirement sur le savoir, sur l'information, et qu'on est incapable d'expliquer un fait aussi évident et important que le savoir universel, c'est qu'on marche à côté de ses godasses.

Car ce qui permettait à Copernic d'avoir raison contre l'humanité tout entière, c'est précisément l'objectivité, cette horreur qu'on veut jeter aux poubelles au nom de la lutte contre le «savoir mâle».

Copernic avait raison parce que son savoir n'était pas uniquement personnel. Il n'était pas «subjectif» au sens que donnent à ce mot les grands raisonneurs du jour. Copernic observait le monde et c'est la justesse de son observation qui a fondé son savoir. Observer le monde, c'est viser un objet, c'est plier son esprit aux exigences de l'objet, c'est être attentif à l'objet, prendre tous les moyens et toutes les précautions pour saisir l'objet. Quand on a enfin saisi quelque chose de l'objet, malgré toutes ses «bibites» personnelles, on a atteint la connaissance objective, donc universelle. Et quiconque refera le même chemin, malgré ses «bibites» à lui, aboutira aux mêmes résultats. La «subjectivité» n'est pas une prison. On aura beau être pourri de tous les préjugés du monde, avoir l'esprit peuplé de toutes les horreurs, il pourra encore arriver qu'à travers cette jungle l'esprit fasse son chemin jusqu'au réel et atteigne l'universel. Sous les pavés, la plage!

On n'en sort pas. La référence à l'objet, l'ouverture de l'esprit sur les faits, sur le monde, en un mot l'objectivité, sont la condition nécessaire de toute valeur de la connaissance et même de l'expression des sentiments. Exprimer un sentiment, c'est encore dévoiler quelque chose de la réalité, de sa réalité.

### Se pisser sur la cuisse

Quand les auteurs féministes, dans une belle unanimité, font la promotion de la subjectivité, elles s'installent dans une contradiction. Nier l'existence de l'objectivité en invoquant les pré-

jugés et les «filtres» de chacun, c'est encore affirmer quelque chose d'universel et finalement
c'est refuser de tenir compte de ses propres préjugés. Dire «l'objectivité est un leurre», c'est se
prononcer sur la connaissance humaine d'une
façon qui se veut... objective. Quand on fait des
affirmations semblables, on ne parle pas seulement pour soi. On se prononce de façon catégo-
rique sur un fait. On a raison ou on a tort. On
atteint l'objet ou on ne l'atteint pas.

Et on parle en plus au nom de toute l'humanité. Il est assez rigolo de reprocher aux hommes
leurs prétentions au discours universel et de se
presser ensuite de faire la même chose. La proposition «l'objectivité est un leurre», s'applique
à toute l'humanité d'hier, d'aujourd'hui et de demain. On ne tient pas là l'humble discours
«subjectif» de quelqu'un qui a soudain pris
conscience de tous ses «filtres» déformants et
qui ne parle plus que dans son trait carré. Madame
Payette, madame Duras et compagnie sont
comme monsieur Jourdain qui faisait de la prose
sans le savoir. Elle font de l'universel et de l'objectif sans le savoir.

De monsieur Laplante, il est le seul dans
cette galère dont je puisse dire que vraiment, il
se pisse sur la cuisse. Imaginez! Nous sommes
tellement «subjectifs» que nous ne devons même
plus prétendre rapporter des faits. Nous avons
des préjugés et des «filtres», nous apprend-il...
Tiens donc! Ce ne seraient pas des faits, ça?

Autrement dit:

    1- c'est un fait que nous avons des préjugés et toutes sortes de dispositions qui déforment notre vision des choses;

    2- par conséquent nous sommes incapables de connaître vraiment les faits.

Pour que la conclusion soit bonne, il faut que la première proposition soit fondée en fait. C'est assez embêtant... nous n'arriverions à connaître de façon certaine que les faits qui invalident notre connaissance... des faits. C'est finalement invalider tout ce qu'on va dire et il ne reste plus logiquement qu'à se la fermer. Le silence: c'est effectivement à cela que conduisent toutes les théories déséquilibrées sur la subjectivité. Il y a longtemps que les philosophes s'en sont aperçus.

### Le journalisme

Mais j'ai l'oreille fine. J'entends tous ces contempteurs de l'objectivité me répondre qu'ils n'ont jamais voulu contester ni Pythagore ni Copernic. Ils parlaient seulement du journalisme.

Quel parfum! Garçon, un autre café!

D'abord, ce n'est pas vrai que tous ces gens ne visent que le journalisme. Ensuite, si on vise le journalisme, on vise tout le reste.

Il faut parcourir les discours féministes pour bien se rendre compte que c'est la possibilité de l'objectivité en général qui y est niée. Au nom d'une pensée nouvelle, plus intuitive, plus «cerveau gauche», plus fluide et plus concrète, on rejette le «savoir mâle», abstrait, général, qui prétend être valable pour tous, s'imposer à tous, donc dominateur.

Et supposons un instant que tous ces gens ne voulaient viser que le journalisme.

Ce serait un leurre. Pourquoi et comment isoler le journalisme parmi toutes les autres formes d'activités de connaissance?

L'esprit humain n'est pas compartimenté comme un casier de bureau de poste. La vérité, l'erreur, la présomption, la précipitation, l'intuition, l'imagination, etc., se retrouvent dans toutes les formes de connaissance. Que l'on fasse un reportage sur un incendie ou une recherche en laboratoire, on se sert des mêmes outils intellectuels. La méthode diffère mais dans les deux cas, le but est le même: connaître quelque chose du monde. Pourquoi l'objectivité serait-elle possible en mettant les pieds dans un laboratoire et deviendrait-elle une utopie dès qu'on en sort?

Un savant peut se tromper dans le champ même de sa science et son erreur n'est pas de nature différente de celle de tout esprit qui se trompe. Sa vérité non plus. «Le bon sens, a écrit Descartes, est la chose du monde la mieux partagée». Autrement dit, nul n'échappe aux règles élémentaires de la logique et tout esprit humain peut espérer atteindre un savoir authentique.

Sauf que l'objectivité en journalisme, c'est comme un acte de foi dans le Dieu caché: ça ne saute pas aux yeux.

Prenons un exemple. Si on place trois journalistes devant un problème simple comme : combien font 2 x 2, on aura trois réponses strictement semblables (j'espère!). Si on les envoie sur les lieux d'un accident et qu'on leur demande seulement de nous communiquer le nombre des victimes, on a de bonnes chances encore d'obtenir trois réponses semblables. Mais si on leur fait écrire chacun un texte sur cet accident, on aura à coup sûr trois textes différents.

Qu'est-ce à dire? C'est dire que lorsque l'objet est simple (2 x 2 = 4), il est facile à atteindre. L'objectivité est vite obtenue. Mais si l'objet se complique, si on l'enrichit, il devient alors beaucoup moins facile à circonscrire.

Si les sciences sont facilement objectives, si elles atteignent la connaissance universelle, c'est qu'elles simplifient les choses, les divisent, les catégorisent et n'abordent leurs objets qu'un à un.

Les journalistes, comme les historiens d'ailleurs, ne peuvent atteindre ce degré de division et de simplification. Leurs récits sont globaux. Raconter un événement, c'est se lancer sur un objet d'une infinie complexité.

«Le flot des événements est immense et continu, écrit Marc Paillet[59] (...) Il se réfère à tous les niveaux de la réalité. Il comporte tous les éclairages et appelle tous les points de vue. Il englobe donc tous les discours. Il admet pour chaque événement de cet infini, une infinité de racines (et de causes) d'une infinité d'ordres et, de même, une infinité de conséquences, et répercussions (...)

«Qui plus est, il ne constitue pas une donnée définitive. Il est émergence continuelle et complexe sous tous les aspects qu'on peut imaginer. Il nous bouscule. De plus en plus violemment. Le ressaisissement du réel est un labeur de Sisyphe.»

Le journaliste a le même problème que l'historien. Où se trouve finalement la vérité de l'événement? Lire trois reportages différents sur un même événement n'est pas plus étonnant que de lire trois, cinq, dix livres différents sur la Révolution française. Doit-on en conclure que l'objectivité n'existe pas dans ces matières? L'objectivité, c'est-à-dire la fidélité à l'objet, existe là comme ailleurs, autrement n'importe qui peut dire n'importe quoi. Mais c'est une objectivité qui ne se laisse voir qu'avec du temps, du recul, beaucoup de connaissances, d'analyse et de recoupements.

Ainsi, avec les années, lorsqu'on lit les vieux journaux, on se rend compte que certains reportages sont meilleurs que d'autres, qu'ils sont plus fiables, qu'ils ont plus de profondeur et finalement de vérité. Les historiens s'en rendent compte lorsqu'ils reconstituent les événements à l'aide de reportages, de témoignages écrits.

Avec le temps et beaucoup de travail, la «vérité» des événements s'agrandit sans jamais se fermer. L'événement est un objet qu'on n'a jamais complètement saisi, une sorte de «mystère», à la fois intelligible et inépuisable, qu'on comprend partiellement sans pouvoir le réduire à une vérité simple comme 2 et 2 font 4.

Quand on voit le labeur exigé des historiens pour circonscrire un peu les événements, on se demande comment un journaliste, qui fait ses reportages chaque jour à chaud, peut espérer dire quelque chose qui ne soit pas totalement de l'ordre de l'irréel. Pourtant, le journaliste est bien, comme le dit un mot que l'on attribue à Albert Camus, «l'historien du présent». Au plan de l'objectivité, c'est certainement un métier périlleux.

Et pourtant... Le journaliste n'est pas un extra-terrestre. Il parle de ce monde. Le confiner dans la sphère de la «subjectivité» totale, nier toute portée réelle à son discours n'a pas plus de sens que de le faire avec les historiens. Lorsque François Furet, après des années d'études, distingue trois révolutions à l'intérieur de la Révolution française, il prétend bien dire quelque chose de réel sur cet objet qu'est la Révolution. Il ne cherche pas à rendre plus intéressant un discours qui ne serait jamais que «subjectif».

Le journaliste a devant l'événement sa part d'objectivité. Ni lui ni le lecteur ne peuvent mesurer l'importance exacte de cette part. Est-elle grande, petite, presque nulle? Nous manquons de recul et de points de référence pour nous prononcer. Nous sommes dans un brouillard où perce peut-être un peu de lumière.

Comme journaliste, je me dis tout de même que le monde ne m'est pas méconnaissable, que j'en raconte un petit morceau, que les efforts que je fais pour ramasser des faits, les quantifier, les sentir, les voir, ne sont pas des inventions.

*

On confond souvent l'objectivité avec la neutralité de ton. Un récit émotif n'est pas nécessairement moins objectif, moins riche de la connaissance de l'objet, qu'un récit de ton neutre. C'est une question de stratégie. Le ton neutre passe plus facilement dans de nombreux publics qu'un ton personnel. C'est pourquoi il est adopté par les agences de presse dont les publics sont très variés. Mais le ton gris et passe-partout n'est pas en soi une garantie d'objectivité. On peut sur ce ton, faire des articles très pauvres, très superficiels, même faux et finalement peu objectifs.

Certains événements sont même mieux révélés par l'émotion que par la froideur de vue. La connaissance des faits peut aussi passer par l'affectivité. Les journalistes qui ont vu les premiers l'horreur des camps nazis pouvaient-ils faire un récit «neutre» sans risquer d'être «endessous» de la réalité? Que serait un récit «neutre» d'une horreur?

L'important est de savoir voir, d'apprendre à voir. La complexité des événements, leurs multiples significations, leur interférence dans la vie des gens n'autorisent pas à dire d'avance si une rationalité de type mathématique a plus de portée objective sur un événement donné qu'une visée intuitive, descriptive ou émotive. C'est une question de jugement. Et de culture. On ne saisit pas le calvaire d'un infirme ou la solitude d'une femme laide avec des statistiques. L'objectivité c'est aussi avoir l'intuition de l'objet, savoir énoncer une hypothèse et se dire que là, dans ce cas précis, vaut mieux se faire descriptif, visuel, si l'on veut avoir une chance d'attraper quelque chose. Les scientifiques aussi travaillent de cette façon. Une recherche n'aboutit parfois que parce qu'elle a été fécondée par une hypothèse fournie par l'imagination ou l'enthousiasme, à un moment où toutes les règles «rationnelles» ont été transgressées.

L'universalité et l'objectivité ne sont pas seulement le fait des «géomètres», pour reprendre l'expression de Pascal. Les grands écrivains sont aussi des esprits universels. Qu'est-ce qui fait aujourd'hui l'intérêt de Dostoïevski? Certainement pas son style, qui est plutôt lourd. Ce sont plutôt ses intuitions, sa façon de fouiller dans les recoins de l'âme humaine pour y découvrir des choses que la psychanalyse «découvrira» à sa suite.

L'écrivain russe est universel parce qu'il a, à nos yeux, parlé concrètement d'un «objet» qui est la condition humaine. Cet épileptique avait beau avoir tous les handicaps, il a, comme Pythagore, attrapé quelque chose qui nous intéresse encore. À sa façon, il est objectif.

*

L'objectivité n'est pas la mort de l'esprit. Tout le monde d'ailleurs y croit spontanément. La confiance dans l'intelligence est une autre de ces choses du monde les mieux partagées.

Je veux finir sur une image. Quand j'enseignais le journalisme à l'Uqam, j'apercevais souvent par la fenêtre de mon bureau un homme à l'air hirsute qui avait une démarche un peu raide. Il faisait une vingtaine de pas puis levait le poing en l'air pour vociférer quelques jurons, comme s'il s'était adressé aux démons qui le tourmentaient. Sa voix était puissante, rauque, effrayante. Les gens avaient peur de lui mais il ne voyait personne. Il était complètement enfermé en lui-même.

À mes yeux, cet homme avait perdu contact avec le monde. Il vivait enfermé dans une subjectivité close. Je ne sais si on perd contact avec le monde parce qu'on devient fou ou si c'est l'inverse. Peu importe. Ce que j'en retiens, c'est que l'ouverture sur le monde est signe de santé mentale. Le monde nous imprègne de toutes parts. En le connaissant, nous nous révélons à nous-mêmes. L'objectivité, c'est la santé!

# L'homme(e)

«La langue est d'abord un outil de communication commun à tous-toutes les individu-e-s d'une collectivité qui s'en servent pour échanger entre eux et elles».

C'est à Armande Saint-Jean [60] que nous devons cette révélation sur la nature de la langue. Mais ce n'est pas la seule innovation dont nous gratifie l'auteur.

Lisons: «C'est par le phénomène de l'identification aux parent-e-s que les garçons et les filles apprennent à développer les qualités qu'on attend d'eux et d'elles et à reproduire les attitudes et les comportements qui sont associé-e-s aux membres de leur clan.» Vous avez vu? Associé-e-s...

Ou encore: «On dirige systématiquement les garçons vers les professions et métiers réservé-e-s...»

C'est la réhabilitation des pauvres petites choses qui ont hérité du genre féminin. Cette chaise et ce banc sont blancs-ches... à moins qu'il faille écrire blanc-s-ches ou blanc-s-hes ou je ne sais plus.

L'art d'écrire dans les deux genres à la fois

est vachement complexe.

«Le mariage et la famille tel-le-s que défini-e-s...»

Remarquons ici l'usage sophistiqué du trait d'union chez Saint-Jean. Moi, j'aurais peut-être écrit tels-les ou tout autre formule phallocentrique. Le pire est certainement d'écrire «tels» tout court. Ce n'est plus phallocentrique, c'est assassin. Le féminin a été rayé, tué. Encore un meurtre symbolique! Il était temps que la guenille soit mise sur le même pied que le torchon.

Mais ne vous lancez pas dans l'art du trait d'union tête baissée comme si vous vous y connaissiez déjà!

Prenez d'abord quelques cours dans un endroit où la chose a été élevée au niveau de l'art. À l'Uqam, par exemple.

Instruisons-nous: «L'étudiant-e admis-e et inscrit-e à un programme de maîtrise doit s'être choisi-e (sic) un-e tuteur-trice ou un-e directeur-trice de recherche, et avoir obtenu l'accord de celui-ci, celle-ci, lorsqu'il, elle s'inscrit pour la troisième fois à son programme».

Voyez-vous, le trait d'union n'est pas tout. La virgule est aussi appelée à jouer un rôle anti-discriminatoire comme dans «lorsqu'il, elle».

Une première règle apparaît donc qui pourrait se formuler ainsi: «Le trait d'union et la virgule sont également pertinent-e-s.»

Autre remarque: «choisi-e» ne doit pas s'accorder dans la phrase citée mais cela fait partie des charmes bien connus de la grammaire uqamienne. Parti-e sur sa lancé-e un-e auteur-e sème les traits d'union à tout vent.

Encore un peu de cette savoureuse littérature: «L'étudiant-e choisit lui-même, elle-même son, sa tuteur-trice et soumet son choix au sous-comité d'admission et d'évaluation. L'étudiant-e et le sous-comité d'admission et d'évaluation conviennent du choix d'un-e directeur-trice de recherche et d'un-e co-directeur-trice au besoin, après acceptation de ces derniers (sic).

«Le, la directeur-trice de recherche ou le, la tuteur-trice doit être professeur-e ou chercheur-e à l'Uqam.»

Quel régal! Moi, j'ai beaucoup aimé le-la co-directeur-trice, pas vous-e? Mais je ne comprends pas que l'on ait laissé passer l'expression «ces derniers». Elle jure dans ce contexte, comme un relent de phallocentrisme. Il aurait fallu bien sûr écrire «ces dernie-è-r-es» ou «ces derniers, dernières», ou «ces derniers-ères», enfin, n'importe quoi mais pas cet horrible masculin. Je suis certain que l'on n'aurait pas vu une telle horreur dans un texte du syndicat des chargées et chargés de cours.

Soucieux de faire sa part dans ce noble combat, un bibliothécaire de l'Uqam, Louis Leborgne, y allait récemment d'une suggestion judicieuse. Écrire directeur-trice, fait-il remarquer, met encore le féminin à la remorque du masculin. Écrire directrice-teur ne fait qu'inverser la même injustice. Sa solution:

$L_a^e$ direc$_{teur}^{trice}$ responsable des étudiant$_s^{es}$

inscrit$_s^{es}$ au programme de formation des

maî$_{tres}^{tresses}$ doit être présen$_t^{te}$ avec leurs

adjoint$_s^{es}$ ou leurs collabora$_{teurs}^{trices}$ immédiat$_s^{es}$

aux réunions semestrielles.

Il attend encore la réponse du «comité de féminiterminaison».

### Un sexisme profond

Mais il y a pire. On n'aperçoit vraiment que la pointe de l'iceberg du sexisme langagier profond que charrie le genre masculin. Maroussia Hajdukowski-Ahmed m'apprend dans un article de «Féminité, Subversion, Écriture» que «le genre connote souvent la taille (chaise/fauteuil, barque/navire, source-rivière/torrent-fleuve).» Vous aviez pensé à ça vous autres? On ne s'en doute pas et on commet le péché de sexisme avec des mots en apparence innocents.

Une seule solution: inverser la vapeur et n'utiliser que des mots dont le genre féminin indique une supériorité sur le masculin. Par exemple:

le flacon/la bouteille, l'îlot/l'île, l'escabeau/ l'échelle, le portillon/la porte, le feuillet/la feuille, le marteau/la masse, l'étang/la mer, le potage/la soupe, le cul-de-sac/l'avenue, le machin/la machine, le tamis/la Tamise, le grain/la graine, le zizi/la biroute, etc.

### L'élimination du féminin

Mme Hajdukowski-Ahmed s'inquiète à bon droit du fait que «le masculin est en voie d'éliminer le féminin.»

Sa solution: «Ou bien le français se modèlerait sur l'anglais et finirait par avoir un genre unique ou il faudrait établir une symétrie.»

La symétrie, c'est le style UQAM. On a peu de chance de rallier les masses avec ça.

Je me rallie à la solution de l'anglais et propose que le français suive une évolution du même genre.

L'anglais était au Moyen Âge une langue à déclinaisons comme toutes les autres et comportait le masculin, le féminin et le neutre. Pour ceux qui ne sont pas familiers avec la chose, précisons qu'une déclinaison est une série de formes que prend un mot selon sa fonction dans la phrase. Par exemple, en latin, le mot rosa (la rose) devient rosam lorsqu'il est complément direct, rosae, lorsqu'il est complément indirect, etc. Nous avons en français des restants de déclinaisons avec les pronoms (je, me, moi). Les langues slaves ont conservé intactes leurs déclinaisons, qui sont presque identiques à celles du latin et du grec ancien.

En anglais ancien, par exemple, le mot *stone* (masculin), pierre, se disait *stan* s'il était sujet, *stanes*, s'il était complément de nom, *stane* (complément indirect), etc.

Selon les grammaires, on distingue en anglais ancien trois ou quatre déclinaisons. Il y avait une grande déclinaison pour chaque genre: la masculine, la féminine et la neutre. Les mots se répertoriaient de la façon suivante:

— 45 pour cent des noms étaient du genre masculin;
— 30 pour cent étaient du genre féminin;
— 25 pour cent étaient neutres

Quelques exemples: mona (la lune) était masculin, sunne (le soleil) féminin, giefu (le cadeau) féminin, scip (le bateau) neutre, bearn (le fils) neutre, modor (la mère) féminin, wif (la femme) neutre, talu (le nombre) féminin, strengu (la force) féminin, stede (la place) masculin.

Comme les autres langues, l'anglais n'utilisait le neutre que comme troisième genre, le moins important. Notons au passage que ce genre n'a jamais servi, dans aucune langue, de commun dénominateur au masculin et au féminin. Le neutre n'a jamais été une solution au «sexisme» des genres.

Ce n'est pas le neutre qui l'a emporté en anglais sauf pour l'article qui avait les trois formes suivantes:

*se* au masculin
*sio* ou *seo* au féminin

*thaet* au neutre.

On constate ici que la forme masculine est devenu the, que la forme neutre a pris le sens du démonstratif (that) et que la forme féminine a disparu.

Pour les noms, il s'est produit une chose simple: ils ont graduellement pris une seule forme, celle du masculin.

La déclinaison masculine elle-même s'est petit à petit réduite à deux formes. Par exemple, le mot *stan* (pierre) n'avait plus à la fin du Moyen Âge que deux variations: il se disait *ston* (nominatif, cas du sujet), *stones* (génitif ou complément de nom) et encore *stones* au pluriel.

Les déclinaisons féminine et neutre ont suivi cette évolution. Le mot *sawol* (soul, âme) du genre féminin, avait à l'origine un pluriel en *sawla*. Ce pluriel féminin disparaîtra pour se conformer au modèle masculin et devenir *soules*.. Le mot féminin *giefu* (cadeau) qui faisait *giefa* au pluriel deviendra *giefes*.

Même évolution pour les noms neutres: *scip* (bateau) qui faisait *scipu* au pluriel, deviendra *scipes,* conformément au modèle masculin.

Au 14e siècle déjà, l'anglais avait donc réalisé deux grandes réformes. Il avait pratiquement aboli les déclinaisons en réduisant tout à deux formes de la déclinaison masculine: le génitif en es ou 's (qui existe encore aujourd'hui) et le pluriel en s. Ce faisant, il avait aussi aboli les genres.

Cette réforme simplifie grandement l'usage de l'anglais.

Nous devons en faire autant en français. Il faut que, graduellement, les formes féminines soient absorbées par celles du masculin. Une fois le féminin disparu, il n'y aura plus de raison de parler de masculin. On aura enfin réalisé la parfaite égalité linguistique entre les genres.

# La censure

ou quand Maurice va aux p'tites vues

Un jour Maurice Champagne alla-t-au motel. Au lieu de réfléchir à l'avenir de l'homme, il alluma le petit écran. Chanceux, il ne tomba pas sur l'interview qu'il a donnée dans son magnifique grenier à Armande Saint-Jean et qui bat tous les records de reprises à Vidéotron. Non, il tomba sur un film porno et le regarda. Da!

Il n'a pas donné de détails mais ce devait être vachement porno car il écrivit aux gazettes pour réclamer la censure.

Des hommes, écrit-il, «rentreront chez eux avec de fortes chances d'imiter, consciemment ou inconsciemment, les comportements sexuels monstrueux qu'ils auront observés à l'écran».

L'histoire ne dit pas ce que fit le bon Maurice en rentrant chez eux. La question serait d'ailleurs superflue, voyons! Il y a des gens pour qui l'on fait la censure et d'autres qui la font. Maurice Champagne fait partie des seconds, of course!

D'où je tiens cette évidence? Disons que c'est une sorte de vérité naturelle. Le monde est bien fait, en somme. Il naît juste ce qu'il faut de gens à censurer et de gens pour pratiquer la censure. Une masse et une élite. Ce qu'il faut pour faire un monde, quoi!

Les premiers sont les influençables. Dieu sait de quoi ils sont capables quand ils entrent chez eux. Il doit même y en avoir qui en sont à leur quinzième visionnement de l'interview que Maurice accorda dans son magnifique grenier et qui se voient, comme lui, en train de donner leur avis sur l'avenir de l'homme. Mais Maurice ne demande pas que l'on censure son interview qui n'est pas porno du tout.

Il demande que des gens comme lui, sûrs et pas pervers pour deux sous, regardent les films pornos à la place des autres et décident de ce qu'ils pourront voir.

Ces gens d'élite, ces messieurs dames du comité de censure, rentreront chez eux et ne répéteront pas les cochonneries qu'ils auront vues toute la journée. Ils ne font pas partie du commun des influençables mortels. Ils agissent en grandes personnes. Ils sont libres et responsables: ils se font une idée après avoir vu ce dont il s'agissait.

Vont-ils se fier au jugement des autres? Prendre une liste faite ailleurs? Non. Ils sont nommés pour juger librement au profit de ceux qui en sont moins capables. Se faire une idée par soi-même est le privilège des gens bien, qui ont de beaux greniers. La liberté de jugement n'est pas une denrée universelle.

Le commun des influençables mortels, dans ses sous-sols, ne peut quand même pas prétendre lui aussi se faire une idée par lui-même! Où irait le monde? À quoi servirait-il d'avoir une élite de beaux penseurs capables de se faire une idée à notre place, de nous prévenir des dangers?

Mais pourquoi faudrait-il que des gens si utiles se limitent au cinéma? Au nom de quoi les gens fiables comme Maurice Champagne exerceraient-ils leur liberté-de-jugement-au-profit-de-tous dans le seul domaine du film cochon?

Pourquoi est-il plus scandaleux de voir que de lire? De montrer que de dire? Pourquoi la censure est-elle justifiée pour le film et ne le serait plus pour le livre?

Est-on bien sûr que les monstres de violence sont tous sortis des cinémas pornos? Et Hitler et Staline et Pol Pot? Combien de morts sur le dos de ces gentils organisateurs qui, tous, soit dit en passant, pratiquaient allègrement la censure. L'Allemagne d'Hitler était libre de toute porno décadente, comme l'est la Chine communiste. Staline lui sortait d'un séminaire.

Pourquoi ne pas censurer aussi les idées pour éviter que des déséquilibrés ne s'en emparent et causent du tort?

L'Église catholique était plus logique que Maurice Champagne. Elle censurait tout. Elle portait même plus d'attention aux «mauvais» livres qu'aux revues cochonnes. L'index était synonyme de l'enfer.

La sainte institution croyait fermement dans le principe de base de toute censure et ne s'en cachait pas: certaines personnes sont plus aptes à juger que d'autres et c'est leur responsabilité de mettre le commun des influençables mortels à l'abri des mauvaises influences. Elle a ainsi fourni beaucoup de travail à de fins esprits censeurs qui, comme Maurice Champagne dans son infernal motel, avaient accès au péché pour la bonne cause.

Mais comme le temps gruge toutes choses, le bon vieux principe de la censure s'est effiloché. Maurice le censeur n'a jamais proposé que l'on censure les idées.

Pourquoi?

Parce que le commun des influençables mortels s'intéresse plus aux images qu'aux idées. Si on censurait les idées, Maurice et les beaux esprits qui se retrouvent dans son grenier verraient leur consommation d'idées filtrée par d'intolérables censeurs. Maurice trouverait qu'on ne le traite plus en grande personne. Il écrirait une méchante bafouille aux gazettes pour dénoncer ces censeurs qui entendent décider, à sa place, des idées auxquelles il aura accès.

Le comble (je n'ai pas dit le grenier), serait que sa lettre ne soit pas publiée... pour cause de censure.

### L'affaire Zundel

En fait, il existe déjà une certaine censure des livres. Elle se pratique sous l'empire de la loi sur la littérature haineuse.

Elle a donné lieu, il y a quelques années, à

une affaire qui démontre bien à quelles absurdi-
tés et à quelle hypocrisie conduit toute volonté
de censure.

Un nommé Zundel a écrit un livre qui nie,
contre toute évidence, l'existence du génocide
nazi contre le peuple juif.

On lui a fait un procès en invoquant la loi
sur la littérature haineuse et on a effectivement
condamné l'auteur.

La belle affaire! Et si quelqu'un s'avisait
demain de publier un livre pour dire que les Turcs
n'ont jamais fait de mal aux Arméniens, que
Staline n'a jamais touché à un cheveu de ses
opposants, que le général Custer n'a jamais rien
fait d'autre que de trinquer avec les Indiens, il
faudrait sans doute censurer tout cela.

C'est nous prendre pour des imbéciles. De
quoi a-t-on peur? Que nous soyons assez bêtes
pour avaler tout rond les thèses les plus absurdes?

C'est bien là le fondement de toute censure:
la présomption d'imbécillité du public.

Qu'est-ce que cela peut bien faire que Zundel
nie le génocide fait par les nazis? Ce génocide
est-il une chose si peu évidente, si peu prouvée
qu'il faille craindre toute contestation de son
existence?

En réalité, on ne craint rien de tel. Cette
histoire est typique de tous les cas de censure.
On a censuré le livre de Zundel parce que des
groupes, que l'on craint, ont fait pression en ce
sens. Des groupes de pression juifs s'opposaient

à la publication de ce livre et ils ont obtenu gain de cause.

Demain, ce seront les bonnes mères de famille, les nouveaux pères, les féministes du Nouvel Âge, les défenseurs-de-la-race-blanche-en-péril et autres groupes dévots qui feront interdire des livres. Il leur suffira de faire partie de la liste des causes auxquelles les bonnes consciences ne sauraient s'opposer. Nous finirons bien par mourir idiots sous le poids de la dévotion.

Non seulement faut-il combattre la censure mais aussi se méfier de lois comme celle sur la littérature haineuse. Ce genre de loi ne sert souvent qu'à faire planer sur les oeuvres la menace du conformisme régnant.

Et supposons que demain on laisse publier un bouquin qui traite les Québécois de tous les noms: paresseux, buveurs, imprévoyants, ignorants, épais...

Le censurer voudrait dire: des gens vont lire ça, vont se laisser influencer et vont penser comme l'auteur. Ce livre va propager la haine des Québécois.

De deux choses l'une: ou bien le public n'est pas complètement taré et jugera l'auteur à son mérite, ou bien il est mûr pour la haine collective.

Dans le premier cas, la censure est inutile. Dans le deuxième, elle est à la fois inutile et hypocrite. Si le public est mûr pour la haine collective, c'est que la société est malade et que les causes en sont profondes. Censurer un livre qui exprime cette maladie, c'est jeter un voile sur une plaie que l'on ne veut pas voir. Ca ne guérit rien et cela empêche même de s'attaquer au mal.

Si l'on a peur de voir ressurgir l'antisémitisme en laissant paraître le livre de Zundel, c'est que l'on juge la société canadienne assez immature pour se laisser entraîner par n'importe quel livre de fables.

Si l'on croit vivre dans une société adulte, il faut laisser Zundel propager ses fables. De même qu'on laisse Claude Lanzmann, l'auteur de la série Shoah, faire et diffuser la seule réponse possible aux fables: l'information et la recherche objective des faits.

Quant à la censure sur les affaires de moeurs et de sexe, la porno et tout ce qu'on voudra, elle ne sera toujours aussi qu'un masque.

«Sade est en nous», ai-je entendu de la bouche de Julia Kristeva, psychanalyste et romancière, à son passage à l'émission Apostrophes. Comment mieux dire que toute censure n'est jamais rien d'autre qu'un voile jeté sur une partie de soi-même.

# Un débat avorté

«Mon corps m'appartient». Écrit en grosses lettres sur une banderole, cela vous fait un beau slogan de manifestation. Cette expression résume en fait l'essentiel du discours courant sur la question de l'avortement.

Cela m'a toujours intrigué. Supposons qu'il ne soit pas question d'avortement mais d'appendice: on opère de force les femmes pour leur enlever l'appendice. Le slogan serait le même: «mon corps m'appartient».

Un fait fondamental a été évacué: il s'agit de la reproduction des êtres humains.

Une autre chose a été évacuée du discours féministe: la question de la maternité dans la subjectivité des femmes. Depuis une quarantaine d'années, le discours féministe sur cette question est négatif.

### La vie

Une constatation s'impose: les arguments de l'Église sur la question de la vie ne «collent» pas sur la majorité des femmes. La divine institution leur dit qu'elles n'ont pas le droit d'avorter car la vie n'appartient qu'à Dieu et lui seul peut en

disposer. Il n'est permis d'avorter qu'en cas de
«légitime défense». Les arguments religieux, à
mon avis, ne prendront jamais. L'Église condamne le suicide au nom des mêmes principes:
ma vie ne m'appartient pas.

Cette façon d'ancrer la morale dans les cieux
va à l'encontre d'un sentiment profond et naturel:
ma vie m'appartient, c'est moi qui en dispose. Le
sentiment de se prendre en charge dans la conscience et la liberté constitue le fondement de
l'existence proprement humaine.

Les femmes n'écoutent pas l'Église parce
qu'elles sont comme les hommes: elles ont le
sentiment que chacun d'abord dispose de sa
propre vie et qu'ensuite on peut, jusqu'à un certain point, disposer de la vie en général.

Car on aura beau faire et beau dire, un foetus,
c'est une vie qui pousse. J'ai lu de savantes argu-
ties sur le nombre de semaines à partir duquel
l'avortement ne serait plus permis sous peine de
crime. Ce n'est pas sérieux. Car si vraiment on se
préoccupait de ne pas tuer un être humain, on
n'arrondirait pas à la semaine près. On cherche-
rait l'heure, la minute, la seconde à partir de laquelle c'est un être humain ou ce n'en est pas
encore un.

En réalité, on s'en fout un peu, la question
n'est pas là. Inutile de demander hypocritement
à la biologie une réponse que nous connaissons
déjà: la vie est un processus continu. C'est bien
moi qui étais là au premier jour de la conception

dans le ventre de ma mère. Si elle avait avorté, c'est moi qui ne serais pas là et non un quelconque lapin. Quand j'élimine du plantain dans mon jardin, qu'il soit en germination ou sorti de terre, cela revient au même: c'est un pied de moins.

L'argument de la «viabilité» du foetus est une autre hypocrisie. Même un bébé naissant n'est pas «viable», tellement cette notion est vague. Le petit humain est, à la naissance, un des moins autonomes de tout le règne animal. Il ne voit même pas clair. Si on voulait s'accorder la liberté d'éliminer des bébés naissants, on trouverait une foule de bons arguments au rayon de la «viabilité». L'infanticide est une pratique courante dans l'histoire de l'humanité. L'Antiquité en avait fait une institution reconnue, un droit sacré du père de famille. Des civilisations se sont accordé le droit de vie et de mort sur les nouveaunés féminins, d'autres sur les garçons.

Ces libertés prises avec la vie ont régressé mais nous en sommes tout de même les héritiers.

Pourquoi couvrons-nous l'avortement de toutes sortes de fausses raisons biologiques ou autres? Parce que nous ne voulons pas admettre la brutale vérité: nous prenons des libertés avec la vie.

Il y a une expression qui parle du «caractère sacré de la vie». Voyons voir. Nous savons tous que des vies humaines pourraient être sauvées si demain matin nous faisions un grand effort collectif pour les populations les plus pauvres. Nous

pourrions délivrer des milliers de gens des maladies contagieuses, de la malnutrition, des conditions de vie précaires qui écourtent leur existence. De temps en temps, quand les images de
la télévision deviennent insupportables, nous
agissons... mais à condition qu'on ne diffuse pas
les images mobilisatrices pendant nos vacances
dans le Maine.

Les milliers de victimes d'un tremblement
de terre dans le fond de la Turquie nous touche-
ront moins que le petit garçon du coin qui a besoin de $10,000 pour une opération rare aux
États-Unis. Nous sommes ainsi faits. Le «caractère sacré de la vie» dépend aussi de la géogra-
phie, de la télévision et de la date de nos vacances. En somme, il dépend de nos perceptions.

Dans le cas de l'avortement, ces perceptions
jouent un rôle majeur. Le foetus, on ne le voit
pas. On ne voit pas de tête, d'yeux en formation,
de petits bras, de pouce sucé dans la bouche...
Une vie qu'on ne voit pas, qu'on ne perçoit pas,
qu'on ne peut pas nommer, reste assez abstraite.
C'est un «Turc» quelque part. Mais si on le voyait,
là devant soi, et qu'on avait à donner soi-même
le coup de lame fatal... combien d'entre nous en
seraient capables?

Alors s'applique, dans son élasticité, dans sa
relativité, le principe du «caractère sacré de la
vie». Une vie qui commence et qu'on perçoit à
peine prend moins d'importance que le cours
qu'une femme décide de donner à sa vie. Elle

décide que maintenant, pour des raisons qui lui sont propres, elle ne veut pas de cet enfant qui se pointe. Elle l'élimine.

Les femmes, comme les hommes, jugent de la valeur de la vie selon leurs perceptions propres et leur cheminement. L'avortement est une liberté que nous prenons avec la vie comme nous en prenons bien d'autres. Ce n'est ni glorieux ni scélérat. C'est «l'homme».

Cette liberté que réclament la majorité des femmes n'est par ailleurs pas commandée par des caprices. Le slogan «mon corps m'appartient» est terriblement superficiel et trompeur. En fait, pour que l'avortement soit devenu un enjeu si fondamental c'est qu'il met en cause une réalité tout aussi fondamentale: la maternité.

Permettra-t-on à un homme de s'étonner de trouver si peu de choses là-dessus dans la littérature féministe et d'émettre deux hypothèses:

1) que le débat sur l'avortement en est un plutôt sur la maternité. La maternité plonge des racines profondes dans la subjectivité féminine. Ce que les femmes réclament c'est de ne pas aliéner une partie essentielle d'elles-mêmes.

2) que les féministes, n'ayant jamais rien dit de positif sur la maternité, sont passées à côté de la question.

### La grande Simone

Depuis une quarantaine d'années, la question de la maternité est vue sous l'angle que lui a donné Simone de Beauvoir. «On ne naît pas femme, on le devient», a-t-elle dit dans une formule restée célèbre.

Cette formule est sortie tout droit de l'existentialisme de Sartre: il n'y a pas de «nature» humaine, le «sujet» humain se réalise dans ses choix. Ainsi, pour Simone de Beauvoir, il n'y a pas de nature féminine. Il y a une condition féminine, une situation, mais rien d'inné que l'on puisse qualifier de féminin.

C'est une position philosophique. «Idéologique», disent les scientifiques.

Une des conséquences de cette façon de voir, c'est, par exemple, de considérer la maternité du strict point de vue de la condition de vie des femmes.

Simone de Beauvoir n'a à peu rien de positif à dire sur la maternité. Pour elle, la maternité est la cause permanente de l'inégalité entre les sexes et l'obstacle principal de la libération de la femme. Passer sa vie à s'occuper d'enfants est une forme d'esclavage. Dans un entretien au Nouvel Observateur, elle affirme: «Je pense qu'il y a des femmes qui n'ont plus leur chance. Si elles ont déjà 35 ans, qu'elles sont mariées avec quatre enfants sur les bras et aucune qualification professionnelle, je ne vois pas très bien ce qu'elle peuvent faire pour se libérer.»

Les pages que de Beauvoir consacre à «la mère» dans «Le deuxième sexe» s'ouvrent sur la contraception et se poursuivent sur l'avortement

et les inconvénients de la grossesse. Réjouis-
sant.

Selon Henriette Nizan, qui a bien connu «la
grande sartriseuse», celle-ci détestait les enfants
et la famille. Dans ses Mémoires, de Beauvoir
écrit: «J'aperçus un jour au Luxembourg Nizan
et sa femme qui poussait une voiture d'enfant, et
je souhaitai vivement que cette image ne figurât
pas dans mon avenir».

De Beauvoir n'a jamais vraiment dérogé de
ce négativisme sur la maternité. Vingt-cinq ans
après avoir écrit Le deuxième sexe, elle affirmait encore à Betty Friedan, en 1975, qu'il valait
mieux pour les femmes ne jamais être mère et
que la famille devait être abolie. Comment l'humanité allait-elle se perpétuer? Il y a déjà trop de
monde de toute façon, se fit dire Betty Friedan.

Ce négativisme sur la maternité a dominé la
débat féministe et empêché toute réflexion
approfondie sur cette «expérience» féminine.
C'est à peine si on peut lire une belle chose de
temps à autres. J'en ai tout de même récolté deux,
parmi quelques autres, qui méritent d'être rele-
vées.

Dans le numéro de novembre 1982 de La
Vie en Rose, Greta Hofmann-Nemiroff écrit que
la maternité consiste à «vivre à la première personne la seule expérience des femmes qui soit
vraiment universelle».

Dans le numéro de mars 84 de la même revue, Nancy Houston raconte comment elle a

d'abord préféré la liberté que procure le célibat:
disposer de son temps pour soi.

«Mais il (le temps) me glissait quand même
entre les doigts.

«Et si, après quelque dix années de vie de
femme adulte-indépendante-célibataire-activiste,
j'ai désiré partager ma vie avec un enfant, ce fut
entre autres raisons pour changer ce rapport-là
au temps. Pour me forcer à accepter une certaine
«perte» du temps. Pour apprendre la paresse, la
répétition et les temps «morts». Parce qu'un enfant, peut-être plus qu'aucune autre expérience
de la vie humaine, vous confronte et à la nécessité et à la contingence. Quand vous lui mouchez
le nez, ce n'est pas parce que c'est la chose qui
vous tient le plus à coeur à ce moment-là, c'est
parce que c'est cela qu'il faut faire. De même
pour acheter ses couches. Écraser ses carottes.
Se lever la nuit. Marcher plus lentement dans la
rue. Ce sont des «pertes de temps» auxquelles il
est impossible de remédier; des moments de vie
«insauvables», inracontables, irrécupérables.
C'est comme ça. Et encore comme ça. Et encore
la même chose. La vie pure. Le rapport à l'autre
sans récit possible. On le fait vivre et c'est tout, il
n'y a rien à en dire».

Quand on a lu un si beau texte, on se rend
compte de ce qui a manqué à Simone de Beauvoir
pour écrire ce qui suit: «Les parents font entrer
leurs enfants dans leurs jeux sado-masochistes,
projetant sur eux leurs fantasmes, leurs obses-

sions, leurs névroses. C'est une situation émi-
nemment malsaine. Les tâches parentales de-
vraient être équitablement réparties entre le père
et la mère. Il serait souhaitable que les enfants
leur soient le moins possible abandonnés, que
leur autorité soit restreinte et sévèrement con-
trôlée. Ainsi aménagée, la famille garderait-elle
une utilité?» [61]

La différence entre ces deux textes: le premier est celui d'une femme qui a vécu l'irrem-
plaçable expérience humaine de la maternité, le
deuxième celui d'une intellectuelle rationaliste
qui ne sentait pas les choses.

La grande Simone était un personnage assez
abstrait. Plus que raisonneuse, rationaliste,
comme son petit camarade, et pas très préoccu-
pée du sort concret des gens.

Gisèle Halimi, dans «Le lait de l'oranger»
raconte une anecdote révélatrice. Cette avocate
avait réussi à faire acquitter une jeune fille de
seize ans accusée de s'être fait avorter. Comme
on s'attendait plutôt à un verdict négatif, Simone
de Beauvoir avait prévu écrire un commentaire
pour dénoncer la loi française sur l'avortement.
Coup de fil de l'avocate pour lui annoncer la
bonne nouvelle. «Merde, répond de Beauvoir,
j'ai déjà écrit mon article». Par d'autres exemples,
Halimi nous révèle une dame plutôt insensible à
la vie concrète des gens.

À Betty Friedan qui lui parlait de problèmes
concrets dans la vie professionnelle des femmes,

de Beauvoir répondit que les bons emplois, l'avancement professionnel, toutes ces choses terre à terre étaient sans intérêt pour les femmes. Il fallait «détruire le système». Mais concrètement, comment les femmes feront-elles pour vivre, demande Betty Friedan. «Elles n'ont pas besoin d'avoir de bons emplois pour manger», rétorqua de Beauvoir.

Disons, pour résumer, que la grande dame de la Rive gauche était au-dessus de certaines contingences matérielles, familiales et émotives et que cela avait tendance à se convertir en nécessités théoriques.

Sur cette lancée, le féminisme s'est en général cantonné dans une attitude fermée et négative sur la question de la maternité. J'en ai retrouvé encore un écho récent sous la plume de Simone Landry qui écrit que «le système patriarcal craque quand nous refusons d'être mère». [62] La belle affaire!

Armande Saint-Jean, toujours aussi visionnaire, soupçonne que les «souffrances infligées à la mère» puissent faire partie d'une «philosophie sadique» des mâles dominants qui mène à l'extermination des femmes. [63] Môman!

Ce négativisme, qui confine parfois au délire, se fait sentir dans le débat sur l'avortement. Les femmes tiennent au contrôle de la maternité comme à la prunelle de leurs yeux mais quand vient le moment de savoir ce que signifie la maternité dans la subjectivité des femmes, on ne trouve qu'une maternité esclavage, une maternité-conditionnement et une maternité-chantage contre le «système patriarcal».

Vous n'auriez pas autre chose?

Les femmes philosophes trouveraient peut-être mieux à s'occuper en s'intéressant un peu plus profondément à la «nature» féminine plutôt que de fouiner dans les placards vieillots de Kant ou de Saint-Thomas d'Aquin à la recherche de quelque exposé misogyne encore inédit.

La critique féministe du savoir «mâle» nous laissait espérer une pensée nouvelle, toute intuitive, radicalement différente de la raison raisonnante si chère aux hommes. Et que nous offre-t-on? Du rationalisme à la sauce Beauvoir quand ce n'est pas du marxisme à la sauce lesbienne, comme j'en ai lu dans le numéro de mars 81 de La Vie en Rose. Sous le signe de la pensée nouvelle, j'y apprends que les relations hétérosexuelles et la maternité sont deux formes de l'exploitation des femmes par le capital et l'État. Il valait la peine de naître en ce siècle pour lire ça.

*

Enfin, pour s'intéresser à la «nature» féminine, il faudrait peut-être aussi prendre ses distances du beauvoirisme classique.

Je parlais de tabou au début de ce livre. Je ne suis pas le seul. Les scientifiques aussi font face à un sérieux tabou quand ils veulent étudier «le fait féminin». Il s'est créé une sainte horreur de tout ce qui pourrait ressembler à de l'inné, à du «naturel». Être femme ne serait que le résultat d'un conditionnement social. On nous prêche sur tous les tons que les petites filles ne sont pas élevées comme les petits garçons, qu'on ne leur propose pas les mêmes modèles et que tout viendrait de là.

Evelyne Sullerot, sociologue, dénonce «le tabou qui conduit à négliger toute étude de l'inné ou à en nier la possibilité même, pour faire porter tous les efforts sur l'étude des conditionnements sociaux». [64]

Cette femme a organisé en 1976, avec la collaboration du biologiste Jacques Monod, un colloque scientifique international sur «le fait féminin». Selon elle «un fort courant idéologique s'est développé depuis 1970, qui condamne toute mention de la génétique, «preuve de pensée réactionnaire», et toute mention de différences entre les sexes, génétiquement, «manifestation d'antiféminisme». Il s'agit là d'une intolérance absolue, qui aura le sort de toutes les intolérances: être ressentie comme intolérable et entraîner une réaction. Les différences génétiques entre femmes et hommes sont, au sens propre, indéniables. Le reconnaître n'est ni de droite, ni de gauche, ni antiféministe, ni féministe». [65]

«Au terme de ce livre, écrit-elle encore, tout lecteur aura compris qu'on peut aussi renverser la formule (de Simone de Beauvoir): on naît bel et bien femme, avec un destin physique programmé différent de celui de l'homme et toutes les conséquences psychologiques et sociales attachées à ces différences. Mais on peut modifier ce destin, et devenir ce que l'on veut, se conformer à ce destin ou s'en éloigner carrément». [66]

# Le sort des hommes

*Oh! combien de marins, combien de capitaines*
*Qui sont partis joyeux pour des courses lointai-*
*nes,*
*Dans ce morne horizon se sont évanouis!*
*Combien ont disparu, dure et triste fortune!*
*Dans une mer sans fond, par une nuit sans lune,*
*Sous l'aveugle océan à jamais enfouis!*

Victor Hugo

*Où est-il passé Clément des cerises?*
*Est-elle fermée la longue douleur*
*Du temps où les gars avaient si grand cœur*
*Qu'on n'voyait que lui au trou des chemises?*

Henri Gougaud
(Paris ma rose,
chanté par Serge Reggiani)

Des années de féminisme ont répandu le mythe de la martyrologie des femmes dans l'histoire. Le patriarcat aurait installé tous les hommes au pouvoir au détriment de toutes les femmes.

Pourtant l'histoire n'a pas été avare de la vie

des hommes. Quand il faut risquer sa vie à la guerre ou dans des métiers dangereux, c'est l'homme qui va au front.

Le féminisme nous enseigne que la guerre est justement un des effets désastreux du pouvoir exercé par les hommes. Avec les femmes, il n'y aurait pas eu de guerre. Ce raisonnement simpliste renvoie toujours l'homme à son péché de violence originelle, comme une sorte de pétition de principe.

Pourtant, y a-t-il vraiment une différence entre le soldat qui meurt au front et le marin qui périt en mer? L'expression bien connue: «les femmes et les enfants d'abord» peut être interprétée comme méprisante pour les femmes mais elle recouvre en fait un comportement vieux comme le monde: le sacrifice des hommes en cas de péril.

Ce sacrifice est loin d'être toujours spectaculaire. Ce sont des hommes sans gloire qui au cours des siècles ont subvenu aux besoins de leur famille au fond des mines, dans les champs, dans les barques de pêche, sur les chantiers... et dont la vie souvent ne valait pas cher.

Les descriptions féministes sur les hommes assoiffés de pouvoir ont toujours sonné étrange à mes oreilles. Ne serait-ce pas avant tout l'écho des préoccupations d'un certain milieu social? D'où viennent ces chères dames?

J'ai surtout vu dans ma jeunesse des hommes à boîte à lunch, accrochés à leur job, dévoués à leur famille, semblables dans leur rôle aux hommes millénaires et ordinaires qui ont usé et souvent perdu leur vie au travail.

Il faudrait croire aussi que ces hommes ont toujours pris plaisir à la guerre, comme à une sorte d'attribut naturel du pouvoir qu'ils exerçaient.

Et si la réalité était moins simple?

La question de la guerre, entre autres, mérite qu'on s'y attarde un peu.

### La guerre

Première constatation: la violence et la guerre soulèvent en gros les mêmes attitudes irrationnelles.

Gaston Bouthoul [66] s'étonne que l'on ait tant tardé à constituer une véritable science des guerres. C'est pourtant par les guerres, note-t-il, qu'ont péri presque toutes les civilisations connues et qu'ont fait leur entrée presque toutes les civilisations nouvelles. Mais que sait-on objectivement sur la guerre? Quelle est sa nature, quel rôle remplit-elle dans l'histoire?

Les idéologies sur le patriarcat ne nous apprennent rien de concret sur la guerre. Celle-ci ne serait que le point culminant d'un pouvoir masculin par nature dominateur et violent.

Bouthoul fait bien voir que le phénomène de la guerre est complexe et qu'il plonge assez loin dans la psychologie humaine. Avec d'autres auteurs, il souligne que la guerre, comme la fête, a le don d'inverser les valeurs: la morale habituelle ne tient plus, il devient légitime de tuer et de détruire.

L'auteur accorde une grande importance à la fonction démographique des guerres. «Dans toutes les guerres, observe-t-il, les pertes directes consistent essentiellement dans la mort d'hommes jeunes. Lorsqu'il se trouve des combattants de divers âges, la coutume est d'exposer les plus jeunes aux plus grands dangers. Il s'agit là d'une tradition militaire très générale et très ancienne».

Cette destruction de jeunes hommes serait, selon Bouthoul, la fonction primordiale des guerres. «Cette fonction biologique que remplissent toutes les guerres paraît être la principale. Toutes les autres fonctions que la guerre peut remplir sont sujettes à des éclipses. La démographie est la seule qui soit absolument constante, qui représente une corrélation à 100 %. Car il n'est pas de conflit armé qui ne provoque des destructions humaines. Ainsi le premier effet immédiat de chaque guerre est celui qu'elle produit sur les structures démographiques. Elle extirpe du groupe (tribu, cité, nation, empire, etc.), un certain nombre d'hommes à la fois par l'éloignement et par la destruction. La guerre est une migration armée». [67]

Il y a une corrélation, constate Bouthoul, entre les périodes d'épanouissement démographique et les longues périodes de guerre. Le déséquilibre social engendré par un surcroît de population se résout dans la migration ou la guerre. «Tout se passe comme si la guerre était une fonction sociale récurrente, caractérisée par l'accumulation dans une société d'un capital humain dont une partie, à un moment donné, est brutalement éjectée».

Bouthoul donne l'exemple de la France au moment de la Révolution. Ce pays compte 26 millions d'habitants en 1789 dont 24 pour cent seulement a plus de 40 ans. La Grande-Bretagne ne compte alors que 10 millions d'habitants et la Russie probablement une trentaine de millions.

Pour ses capacités agricoles et industrielles, la France est alors un pays surpeuplé. Que se passera-t-il? De la Révolution jusqu'à la fin de l'époque napoléonienne, la Terreur, la répression, les guerres élimineront environ 16 pour cent de la population masculine.

Les déficits en hommes sont constants dans l'histoire. L'annuaire 1989 de l'URSS nous apprend que ce pays, 45 ans après la fin de la guerre, compte encore 15,7 millions plus de femmes que d'hommes.

L'homme en guerre n'est pas l'heureux potentat que nous décrit une certaine littérature féministe. C'est un homme simple qui serait bien resté auprès de sa famille. Un poème que les soldats russes ont tous appris en dit plus long que tous les discours:

*Attends-moi, et je reviendrai,*
*Mais attends-moi ardemment.*
*Attends, lorsque les pluies jaunes*
*Appellent la tristesse.*
*Attends, lorsque les rafales de vent balaient la*
*    neige,*
*Attends en pleine chaleur.*
*Attends, lorsque l'on n'attend plus les autres,*
*Oubliant le passé.*
*Attends, lorsque du lointain*
*Les lettres n'arrivent plus.*
*Attends, lorsque tous ceux qui attendent*
*Seront à bout de patience.*

La guerre est-elle autre chose pour l'homme qu'une autre de ces fonctions sociales dangereuses qu'on lui réserve?

Peut-on espérer la fin des guerres? Oui, répond Bouthoul, mais à condition de cesser de les voir à travers les lunettes des idéologies et de les étudier avec un peu de rigueur. La guerre découle d'une «impulsion belliqueuse collective» engendrée par des déséquilibres sociaux. Cette impulsion n'est pas le propre des seuls hommes.

«Les impulsions collectives les plus profondes, écrit-il, sont souvent celles qui se déguisent le mieux car elles parviennent le plus puissamment à obnubiler notre conscience et étouffer notre esprit critique».

Placer des femmes au pouvoir ne sera pas une garantie de paix s'il faut encore éliminer une partie de la population pour cause d'explosion démographique et de sous-développement économique.

L'espoir aujourd'hui, c'est que les grandes puissances maîtrisent leur démographie et réussissent à occuper leur «capital humain» dans des activités économiques utiles. Le premier danger de guerre réside dans l'accumulation d'une énergie excédentaire et oisive dans une société.

L'espoir c'est aussi que les impulsions belliqueuses peuvent être déviées. L'écrivain italien Umberto Eco faisait récemment remarquer, dans un commentaire à la télévision, que les grandes passions soulevées par le sport remplacent aujourd'hui les guerres. Les jeunes Anglais qui dépensent leurs énergies dans de folles expéditions pour une équipe de football, sont ces jeunes hommes que normalement on enverrait au front. «Tant mieux, disait Eco, si les Anglais se font «tuer» pour nous».

### L'espérance de vie

Les déficits en hommes sont longs à combler. Pourtant, il naît 105 garçons pour 100 filles. Il s'agit d'un «sex-ratio» constant. L'excédent de garçons est encore plus grand parmi les morts-nés.

Pourquoi la nature est-elle plus généreuse en garçons qu'en filles? Il s'agit d'un mystère que la biologie n'a pas encore éclairci. Une hypothèse: la nature compenserait pour la fragilité biologique des hommes, car ceux-ci périssent plus tôt que les femmes. À 50 ans, le surplus d'hommes est disparu: il y a autant d'hommes que de femmes. Après cet âge, on enregistre un surplus de femmes qui va en s'accroissant. Une femme sur deux a une chance de dépasser 80 ans contre un homme sur quatre. La longévité moyenne des femmes est d'au moins 6 à 7 ans supérieure à celle des hommes.

Cette différence dans l'espérance de vie n'est pas seulement due aux activités professionnelles ni aux modes de vie (sauf pour les hommes plus jeunes, dont le taux de mortalité par accident, suicide ou homicide est nettement plus élevé que chez les femmes). Des disparités dans le «sort» biologique apparaissent également dans des groupes comme les communautés religieuses, dont les membres, hommes ou femmes, mènent des vies comparables.

Le «patriarcat», dit-on, a causé bien des injustices aux femmes mais la plus élémentaire des justices, celle qui concerne l'existence elle-même, favorise-t-elle démesurément les hommes? Le sort de la grande majorité des hommes est-il si enviable et si injuste par rapport à celui des femmes? Je veux bien m'émouvoir en lisant des articles sur la solitude des femmes âgées mais je remarque que l'on se pose peu de questions sur le destin des hommes qui ne sont plus là...

«Où est-il passé Clément des cerises?...»

*Un verdict sommaire*

On se pose peu de questions non plus sur ces hommes qui font les nouvelles des journaux parce qu'ils se sont suicidés après avoir liquidé femmes et enfants. L'été de 1990 a été marqué par une série de drames de cette nature.

Disons d'abord qu'il n'y a aucune conclusion à en tirer au plan de la statistique. Il faut des années avant de conclure à l'existence de tendances ou de faits sociaux nouveaux. On voit, sur un siècle, de brusques flambées d'un certain type de violence sans que cela infirme une nette tendance à la diminution générale de la violence.

Mais surtout, ce qui frappe dans le cas des drames familiaux, c'est la pauvreté et le caractère sommaire des commentaires qu'on en fait. Un seul son de cloche dans les journaux: la violence des hommes. Des années de discours féministe à sens unique nous ont conduits là.

Un homme liquide sa famille et se tue... par violence, point. C'est évident.

On a l'évidence moins prompte quand il s'agit de la criminalité des femmes. Là s'impose le recours à la psychologie: elle n'avait pas le choix, elle était coincée, elle devait s'en sortir...

Le public n'a pas oublié certains acquittements assez cocasses de femmes qui avaient disposé de cadavres... de façon non moins cocasse.

On a récemment sorti de prison une femme qui en avait éventré une autre, enceinte, par jalousie. La Justice a estimé qu'elle avait plutôt besoin de soins. On en conviendra facilement.

Comment ne voit-on pas que les auteurs de crimes familiaux sont aussi des hommes désespérés, comme ces femmes d'ailleurs qui tuent des enfants – leur «score» est voisin de celui des hommes – et sur lesquelles les médias ne s'acharnent pas.

Le scénario est presque toujours le même: une femme se sépare d'un homme et elle reçoit la garde des enfants. Le mari se retrouve seul dans un appartement ou une chambre mais conserve son rôle de pourvoyeur.

Dans la grande majorité des cas, c'est la femme qui reçoit la garde des enfants. L'homme ne conserve plus avec sa famille que des liens «de congés» et d'argent. Son sort habituel en pareil cas se résume au travail et à la solitude.

Pour beaucoup d'hommes, cette brisure est un drame. Les hommes en parlent moins que les femmes mais l'investissement émotif qu'ils mettent dans leur famille est habituellement profond. La façon dont les en sort est par ailleurs assez brutale.

Il est clair que certains hommes ont besoin d'aide, car c'est le désespoir qui les guette. En pareil cas, les hommes se confient moins que les femmes. On le leur reproche. Drôle d'affaire! Pourquoi les hommes devraient-ils confier leurs émotions autant que les femmes? Demande-t-on aux femmes de ressembler aux hommes?

Ces hommes-là ne sont pas faciles à déceler ni à approcher. Mais que peuvent-ils faire? De bonnes âmes ont ouvert des «centres pour hommes violents». Invitante enseigne! D'autres, comme le Regroupement provincial des maisons d'hébergement et de transition pour femmes victimes de violence conjugale, passent leur temps aussi à ne parler que de violence et à réclamer toujours plus d'argent et de jobs stables. On s'inquiète beaucoup du sort des femmes «battues physiquement, économiquement, psychologiquement et verbalement». Les hommes qu'une séparation a plongés dans la déprime font face au vide.

Une première chose à faire serait au moins de changer de discours. Pourrait-on s'intéresser au sort des hommes autrement qu'à travers les clichés véhiculés par un féminisme sommaire et vindicatif?

### Jouer sa vie

Au-delà des clichés, on pourrait découvrir que l'homme est toujours sollicité pour prendre des risques et jouer sa vie. Le type de l'homme protecteur est encore très en demande comme le prouve le succès phénoménal des petits romans Harlequin. L'éditrice de ces histoires soutient même que le «macho» est encore le type d'homme que les femmes préfèrent. Sans aller jusque là, posons tout de même une question: les attentes des femmes vis-à-vis des hommes ont-elles tellement changé depuis Cyrano? Que ceux ou celles qui ont la réponse nous le fassent savoir!

Enfin, une dernière question sur le sort des hommes: si ces derniers sont si massivement présents dans l'histoire des arts et de la pensée, cela n'est-il pas relié à ce même sens du risque?

L'homme qui «va-t-en guerre» n'est-il pas le même qui plante son chevalet derrière l'église d'Auvers-sur-Oise et qui joue sa vie sur une toile? La créativité existe-t-elle en dehors du risque?

# Les hommes de ma rue

*La rue Fontaine
à Jonquière.*

*«J'entends derrière moi les pas de mon enfance»*
Francis Jammes


Nous habitions la rue Fontaine, étroite, pauvre et chaleureuse, coincée entre la rue principale et la rivière aux Sables.

C'était la dernière rue de Jonquière... ou disons plutôt la première si l'on avait pu entrer dans la ville par la rivière. Mais l'eau de la rivière, on la voyait rarement. Sa majesté la pitoune régnait sur les lieux et alimentait l'usine de la Jonquière Pulp and Paper.

Au-delà de la pitoune, la vue s'arrêtait sur le cran [68] Jacob, assez massif pour avoir l'air d'un calvaire avec sa croix illuminée.

Notre rue se présentait comme un univers dense, en pente douce vers la rivière. La plupart des maisons étaient collées au trottoir comme dans les vieux villages. D'autres, qui ressemblaient souvent à des cabanes, avaient poussé dans des arrière-cours et on en comptait jusqu'à quatre sur un terrain normal. Une sorte de désordre avait jadis régné et avait eu le temps de nous laisser un monde un peu «de travers» qui faisait paraître plats les nouveaux quartiers bien ordonnés.

Cette rue bien serrée, où tout de même quelques beaux jardins trouvaient leur place au milieu de la quarantaine de maisons, des remises et des hangars, était entourée de grands espaces libres, comme si la ville n'avait pas réussi à dompter la campagne. D'un côté, l'ancien cimetière, de l'autre un champ libre et puis la terre à Ti-Luc avec ses vaches, en haut le champ du curé, en bas la rivière et ses rives à l'abandon. La liberté de l'espace, totale, les hautes herbes, les sentiers dans les champs, les passages dans les cours surpeuplées, l'anarchie des berges... tout incitait à vivre libre, à refuser les cadres dans un monde où n'apparaissait vraiment aucun plan précis.

Cela sans doute a déteint sur nous. La rue Fontaine, ses quelque 200 enfants, ses ivrognes, ses ratés, ses filles légères, ses bandes presque organisées donnaient du fil à retordre aux institutions. La police était une habituée de la rue. Le patro des frères de Saint-Vincent-de-Paul, tout près, ramassait et encadrait les gars de la ville mais n'a jamais pu assimiler «la gang de la rue Fontaine». Se faire encadrer pour s'amuser paraissait une idée parfaitement contradictoire.

Parmi les sports que pratiquaient les gars de la rue, il y avait, entre autres, le feu dans la rue principale. Un grand feu dans des déchets semait le bordel dans la circulation, faisait accourir flics et pompiers... et, salut la visite, tout le monde déguerpissait dans les champs, les fosses et jusqu'au bocage, nom que l'on donnait à une petite baie de la rivière.

Il pouvait être plus difficile encore de circuler l'hiver dans notre rue. Il fallait vaincre deux écueils. D'abord le taxi-bottines. Ce sport consistait à s'accrocher au pare-choc arrière d'une voiture et, accroupis, à se laisser glisser sur la neige jusqu'au haut de la rue... si jamais l'auto y parvenait. Six gars bien accrochés arrivaient facilement à empêcher une voiture de monter. Mais le taxi-bottines comportait ses risques. Un jour, un caillou lancé par la roue d'une voiture creva un oeil à un jeune garçon.

L'autre écueil d'hiver c'était la fosse dans la rue. Quand la neige avait bien durci, des gars creusaient un canal de part en part de la rue. Enlisement garanti.

Le «bas de la rue», comme on disait, était nettement plus rude que le haut.

Pendant un temps, y régna Ti-Ri (Henri) Potvin.

De son troisième étage, Ti-Ri, roi de la bagosse (sorte de vin maison), habituellement saoul, faisait la pluie et le beau temps, s'occupait, de «courses de chars» pendant que sa femme «recevait».

Les verbes «recevoir» et «sortir» s'employaient sans complément et gardaient ainsi, en un minimum de forme, tout leur pouvoir évocateur...

D'après les avis compétents, des filles et des dames sortaient et recevaient dans au moins cinq maisons de la rue. Le curé en avait eu vent et en fit un jour le thème d'un sermon bien senti. Mais la nature poursuivit son oeuvre.

Le goût de Ti-Ri Potvin pour la bagosse faillit tourner au drame. Un de ses jeunes fils tomba tête première dans un des barils de bois où fermentait l'élixir que fabriquait Tite-Main, son beau-père. La jeune émule d'Obélix fut sauvé de justesse de la noyade éthylique.

D'autres drames, grands et petits, valaient à Ti-Ri la visite régulière de la police. On se souvient encore de l'extraordinaire sortie que fit Pollock (on prononçait Pôlock) Gilbert, du clan des Gilbert, grosse famille qui emplissait le premier étage de la même maison. Pollock fut «crissé» en bas du troisième étage et ne dut sa survie qu'à la présence d'un généreux banc de neige.

On trouvait aussi chez Ti-Ri mémére Chicot qui, à 70 ans, prenait un bon coup et offrait des strip-teases aux tocsons du bas de la rue. Comme clou du spectacle, mémére Chicot glissait sur une planche à repasser.

Le bas de la rue avait finalement très mauvaise réputation. À part le capharnaüm de Ti-Ri, y grouillait toute une bande de jeunes turbulents qui n'ont jamais rien commis de très grave mais qui faisaient passer la rue pour un des endroits les plus dangereux en ville. Le journal local avait d'ailleurs recommandé d'éviter la rue Fontaine. Le curé de la paroisse d'en face, de l'autre côté de la rivière, dénonçait lui aussi les «bums» de la rue maudite.

Ces «bums» gravitaient autour de Wellie à Basile (du prénom de son père), des fils à Ti-Ri, des Chassé, dont deux portaient les surnoms de Guedoute et de Fiyon, des Savard-la-bite, des Gilbert et des Nepton, une famille indienne celle-là. Des «bums» vraiment? Plutôt des bons vivants qui préféraient l'anarchie à l'encadrement social.

Il y avait aussi dans cc milicu d'étrangcs îlots de tranquillité. Au beau milieu de la tourmente, les sept filles Dallaire et leurs deux frères, qui ne quittaient jamais leur enclos: une cour clôturée, un jardin et une maison en «d'sus de brique», sorte de bardeau goudronné qui imitait la brique. M. Dallaire travaillait à l'usine de papier. Grand, discret, il passait chaque jour, casquette sur la tête, avec un air de dignité souveraine comme s'il n'avait jamais rien vu de ce qui se passait autour.

Ses voisins, les Lapointe, une autre tribu d'une dizaine d'enfants, échappaient aussi à la turbulence ambiante. M. Lapointe travaillait au CN, faisait grand cas de la religion et chauffait sa maison avec des traverses de chemin de fer.

Dans le bas de la rue, on ne payait générale-ment pas cher de chauffage. Il s'agissait de «sauver» du bois sur la rivière. À travers les pitounes, se trouvaient des bouts de bois, des morceaux d'arbres qui n'étaient pas utiles à l'usine et que les gars allaient «sauver», en se levant souvent à l'aube pour être les premiers.

Si le «bas de la rue» eut sa réputation, sa célébrité ne fut pas moins grande que celle du «bord de la rivière».Un jour y débarqua mémére Bouchard, soeur de Victor Delamarre, le célèbre homme fort de la région.

Mémére Bouchard s'installa avec ses trois grands fils dans une cabane au bord de l'eau. Ces trois gaillards, tous simples d'esprit, s'appelaient Memond (Edmond), Tetor (Victor) et Zotique qui lui pouvait se passer de surnom. Il n'en manquait qu'un pour faire la famille Dalton car mémére Bouchard régnait sur sa tribu à la manière de Ma Dalton.

Les Fortin-Delamarre -mémére Bouchard avait d'abord marié un Fortin- se croyaient tous investis de la force légendaire de leur oncle. Le plus audacieux fut sans contredit Tetor qui honora plusieurs fois de son nom la carte du programme de lutte du Palais des Sports de Jonquière.

Tetor pourtant n'avait aucune santé, traînait un grand corps maigre aux côtes apparentes et avait l'habitude de porter son dentier dans sa poche. Mais il était imbu du mythe des Delamarre. Quand il revenait des spectacles de lutte, couvert de bleus et de pansements, il parcourait la rue en racontant ses exploits. Surtout, il aimait bien montrer sa grande cicatrice à la poitrine et son «coeur à batterie».

Tetor n'était pas tout à fait insensible aux choses spirituelles. Il portait à la taille un cordon d'un ordre quelconque et se baladait le dimanche avec son béret blanc du Crédit social. Un jour un grand vent avait fait des ravages et des grosses branches d'arbre jonchaient la rue. On vit alors Tetor remonter la rue, les bras en l'air, en prophète fou, pour nous annoncer la fin du monde.

Au rayon de la force, son frère Zotique s'illustra à sa façon. Zotique ne pensait qu'à «ça». Pour assouvir ses élans, il alla un jour visiter dans leur étable les vaches à Ti-Luc et leur rendit ses vibrants hommages. Découvert, il s'enfuit chez Ma Dalton-Delamarre et quand la police vint pour le cueillir, mémére Bouchard, raconte-t-on, se saisit d'un flic et le «vira de boutte». Zotique paya quand même de quelques mois de prison ses ardeurs bovines.

Quant à Memond, à la belle chevelure rousse lissée au Brylcreem, il jeta son dévolu sur une voisine, Gisèle Simard que personne n'aurait reconnue sous ce nom car on l'appelait Catin à Basile. La famille «Basile» habitait une autre cabane au bord de la rivière, une petite masure dont le plancher, posé sur la terre, gondolait. Basile Simard était mort d'un accident du travail, une pièce de tour mécanique reçue en pleine figure, et avait laissé à sa femme, Albertine Fortin-l'ours, née dans le rang des crêpes à Honfleur

(Sainte-Monique), trois enfants: Wellie, Catin (Gisèle) et Ti-Tange (Marie-Ange).

Madame «Basile» et ses deux filles étaient elles aussi un peu simples d'esprit. Seul Wellie tirait son épingle du jeu et il investit ses talents dans l'anarchie et la bagarre.

Des liens se créèrent naturellement entre les filles à Basile et les fils «Delamarre». Memond fit quatre enfants à Catin, qui mourut assez jeune, et épousa ensuite Ti-Tange qui prit soin des enfants de sa soeur. Un de ceux-ci, Émile, s'illustra dans la boxe professionnelle.

L'arrivée de Memond dans la famille à Basile ne se fit pas sans heurts. Il prétendit faire le boss dans la cabane de la veuve mais se heurta à Wellie qui était en guerre contre les «Delamarre». La bande à Wellie s'amusait d'ailleurs à humilier les trois «hommes forts», rebaptisés «les rois de la faiblesse». Les trois numéros se retrouvèrent un jour dans le fond d'un trou creusé par la Ville, «crissés» là par la bande à Wellie.

Les choses se gâtèrent encore pour Wellie quand sa mère se remaria à Baptiste Rompré dit Corrompu. Corrompu avait voulu faire un maître à son tour mais Wellie avait eu le dessus. Cette bagarre marqua le signal de son départ, d'autant plus qu'il «fuyait l'école, comme fait le mauvais enfant» (Villon). Il m'a raconté avoir plusieurs fois jeté son sac d'école à la rivière pour «faire le renard» (à Montréal on dit «foxer») mais la police le ramenait à tout coup. Il prit donc finalement à 11 ans le chemin de l'école des frères de Notre-Dame de la Miséricorde au Lac Sergent, près de Québec. Huit années d'exil marquées de quelques fugues. Chaque fugue lui valut de se faire raser la «bole». Aujourd'hui, Wellie vit la bole rasée, comme s'il revenait d'une longue fugue, fait la cuisine dans les grands chantiers et pose de la brique.

Pendant cet exil, Corrompu mena sa carrière de «rentier» de la rue Fontaine. On ne l'a jamais vu travailler. Pour les noces d'Albertine, une dame charitable qui vivait au coin de la rue Fontaine et de la rue principale, Evelyna Noël, lui avait fabriqué un beau grand chapeau. Mme Noël mourut peu de temps après. Albertine monta la rue pour rendre un dernier hommage à sa bienfaitrice: elle se présenta au corps avec son beau chapeau de mariage tandis que Corrompu avait chaussé ses magnifiques bottes de «rubber».

Ces bottes n'étaient rien à côté du manteau de fourrure qu'il endossait au mois de juillet. Ainsi vêtu, il visitait les gens de la rue et s'assoyait à sa guise sur n'importe quelle galerie.

Le jour de sa mort, Albertine eut un grand chagrin: on la vit se rouler dans les flaques d'eau de la rue en criant.

*

Le vrai boss de la rue Fontaine trônait au milieu de la côte dans une vieille maison jamais peinte et essayait de faire un maître sur sa tribu de huit gars plus une fille. C'était Délia Girard, du clan baptisé Girard-la-grand-fourche.

Ce clan ne pactisait avec personne et constituait un monde en soi. Il inspirait une crainte sacrée et toute son autorité était incarnée dans la mère Girard, grande, volubile, redoutable. Toucher à un Girard-la-grand-fourche signifiait non seulement avoir tout le clan sur le dos mais surtout avoir affaire à la mère.

Un jour, le clan prit en grippe ses voisins, les Napoléon Gagné. La vengeance s'exerça sur une charrette des Gagné qui périt sous les grands coups de masse administrés au cri de «regardez ce qu'on en fait de vot' charrette!»

Les affaires se réglaient en public et la mère Girard n'hésitait pas à annoncer les événements du genre: «Tizoune, viens icitte pour manger ta volée». Ce qui paraissait encore le plus redoutable, c'était le bout de planche qu'elle tenait alors dans la main. Pour assouvir son esprit de pugnacité, madame Girard assistait aux soirées de lutte du Palais des Sports. Son ardeur et ses encouragements aux lutteurs étaient célèbres.

Peu de choses échappaient à la mère Girard dans son domaine. Mais cela n'a jamais empêché la bande à Wellie d'aller casser ses vitres et de siphonner le vin de cerises qu'elle fabriquait.

La mère Girard réglait toutes les affaires du clan, c'est elle qui encaissait le chèque de paye et qui gérait la boîte. Elle dit un jour à une voisine: «Mon mari, il passe sous la table».

Méridé Girard, lui, travaillait sans arrêt. Col bleu de la Ville, on le voyait dans tous les trous qu'il fallait creuser, au pic et à la pelle, pour des histoires d'aqueduc et d'égout. Il descendait la rue le soir, après sa journée de travail, courbé, en salopette et en bottes de «rubber», toujours silencieux, pressé. Lui, on ne l'entendait pas. C'était la force de travail, une force inépuisable qui lui faisait prendre des jobs le soir et le samedi quand il n'était pas occupé à fabriquer, dans sa cour, des tuyaux en ciment qu'il revendait.

À force de travail et de bons calculs, les Girard-la-grand-fourche quittèrent leur pauvre maison et s'en construisirent une belle grosse juste devant. La cambuse fut louée à des plus pauvres.

Le clan des grand-fourche faisait face à celui des onze Lemieux, beaucoup plus calme, celui-là. Les Girard avaient entrepris à un certain moment de faire un maître avec les Lemieux. Le respect mutuel fut acquis le jour où le plus vieux des Lemieux eut l'avantage aux poings.

La boxe avait d'ailleurs toujours joué un certain rôle dans la rue. Un Girard (une autre famille – car il y a toujours eu trois ou quatre familles de ce nom dans la rue) avait acheté des gants et en avait initié quelques-uns au combat.

Chez les Lemieux, tout était en contraste avec leurs turbulents voisins d'en face: maison proprette, grand jardin, enfants polis, discrétion, douceur...

Il y avait même un «original» qui pensionnait là, un Français du nom de Jean Renaud, qui achetait des grenouilles que les gars allaient pêcher au bocage. La rumeur courait qu'il offrait à madame Lemieux du teteux pêché dans la rivière. Cela faisait bien rire. Le teteux était une espèce de carpe à grosse bouche en ventouse qui abondait au pied de la rue voisine, là où arrivaient les égouts. Une laiterie y déchargeait aussi ses stocks de lait impropre à la consommation. Tout cela évidemment nous faisait des teteux bien gras. Ca se pêchait à la douzaine ou plutôt aux douzaines et engraissait bien les jardins. Mais manger du teteux, jamais! Aussi bien manger du rat! Les Lemieux, en tout cas, n'en ont jamais mangé, le scandale se serait su!

Monsieur Lemieux lui passait chaque jour devant notre maison, aller-retour de son boulot à l'Alcan, petit homme discret, silencieux lui aussi. Son amour de la tranquillité lui avait fait fuir la conscription en 1942. L'armée le retrouva mais ne put rien en faire. Thomas-Eugène se tapa une bonne dépression et fut libéré du service après un mois.

Il en était resté fragile mais travaillait lui aussi sans arrêt. Dans ses «loafages», comme on disait (les congés), il trouvait le temps de donner un coup de main à l'un ou à l'autre dans la construction.

Le boulot à l'Alcan n'était pas si facile. Les hommes travaillaient sur des horaires variables, le jour comme la nuit. Il arrivait souvent qu'ils fissent 16 heures d'affilée. M. Lemieux travaillait sur ce qu'on appelait les ponts roulants, dans une chaleur intense. Pendant la dernière période de sa vie, il était sur les «shifts» de nuit et essayait de dormir le jour sans trop y parvenir. Un après-midi qu'il devait dormir, il mit fin à ses jours.

Antoinette Lemieux attendait alors un douzième enfant. Le plus vieux avait quinze ans et elle avait déjà perdu un prématuré. Elle éleva seule ses onze marmots et les fit même éduquer malgré la pauvreté de ses moyens. Elle vit toujours à Jonquière et n'a rien perdu de son extraordinaire vivacité.

Deux autres drames ont fait beaucoup jaser dans la rue Fontaine. Un voisin des Lemieux, Lucien Côté, waiter, s'est tiré une balle dans la tête, mais il avait déjà quitté la rue pour habiter ailleurs. Ti-Bé Vaillancourt, lui, avait longtemps habité dans un des deux culs-de-sac accrochés à la rue Fontaine. Dans une beuverie, Ti-Bé tua son frère Marcel à coups de marteau et s'enfuit avec la femme de ce dernier. La police retrouva le couple en goguette dans un motel de Chicoutimi.

*

Le drame le plus habituel de la rue, c'était plutôt pour plusieurs familles celui de la pauvreté. Certaines vivaient dans des maisons qui méritaient plutôt le nom de cabane. Près de chez nous, vers le haut de la rue, dans une cambuse d'arrière-cour, les Fillion se débattaient dans la gêne perpétuelle. Lui alcoolique, travailleur occasionnel, elle vaillante, inépuisable, qui sauvait la situation en faisant des ménages. Elle mettait au monde des enfants problèmes, atteints souvent de maladies ou d'infirmités. Elle en perdit trois sur dix. Comme camelot, je lui apportais son journal, elle payait bien et avait toujours le moral.

Dans beaucoup de familles, les enfants se promenaient en «rubbers». C'était une sorte de bottine de caoutchouc noir un peu rebondie sur le bout, juste assez convenable pour aller à l'école. Le rubber se mettait bien l'été tandis que l'hiver, il s'agissait de le bourrer de bons bas de laine.

Peut-être le rubber incarnait-il cette sorte de dignité élémentaire que tout le monde conservait même dans la gêne matérielle. Le dissident soviétique Vladimir Boukovsky raconte comment il a été scandalisé de voir le délabrement et le manque total de fierté des pauvres à New York. Il a lui-même grandi dans un village pauvre mais il se rappelle que jamais personne n'aurait laissé dans son état un carreau cassé. On met une morceau de contreplaqué, on trouve quelque chose mais on refuse le laisser-aller. Nos gens ressemblaient à ceux de Boukovsky. Une certaine tenue était toujours de rigueur.

Parmi les pauvres qui ne faisaient que passer,

se trouvait le célèbre Carter, un quêteux professionnel. Il était connu dans toute la région, avec
son éternelle pipe, son élocution difficile, sa lippe
baveuse et son habituelle bonne humeur. Mon
père le fournissait en pipes.

De temps à autres passait un regrattier, Arthur
Fillion, petite silhouette conduisant un petit
cheval, qui lui-même traînait une petite charrette
toujours remplie d'un étrange bric-à-brac. Le
pauvre cheval courbé, sans allure, mimait,
comme font si bien les chevaux, le destin de son
maître.

Le haut de la rue cultivait un style un peu
différent du bas. Aussi populeux, pas tellement
plus riche, il n'a jamais eu la réputation redoutable qu'avait le bas, domaine qui s'ouvrait avec
les Girard-la-grand-fourche, passait chez les
Savard-la-bite et s'achevait sur le bord de la rivière. Mais cela n'a jamais empêché la circulation tranquille des gens du haut de la rue. Nous
nous connaissions tous: les uns et les autres, tels
qu'ils étaient, faisaient partie de notre monde.

Les mauvais coups avaient moins cours en
haut qu'en bas sauf quand il fallait résister à
l'embrigadement que constituait le patronage des
frères. Cela aurait pu s'appeler la Résistance,
avec un grand R. La résistance prenait évidemment la forme de la fugue, mais c'était là la
moindre des choses. Elle s'exerça surtout dans
le sabotage systématique du matériel accumulé
dans une grande cabane rouge qui avait déjà servi

d'édifice principal. Le patro s'était reconstruit à neuf, avait poussé sa cabane rouge au fond du terrain et se servait de l'ancienne cave comme piscine. Ca coulait de partout mais c'était mieux que rien.

La cabane rouge servait d'entrepôt au terrain de jeu. Comme terrain de jeu, nous n'avons jamais rien trouvé de mieux que l'entrepôt.

Pour le reste, nos champs, notre vieux cimetière, nos cours serrées constituaient le terrain idéal d'un éternel western. Les cowboys et les bandits avaient le choix entre les grands espaces ou les recoins obscurs entre les remises, les hangars et les cabanes. Seul équipement indispensable: le revolver.

J'en ai eu de toutes les sortes, j'adorais ces joujoux. Et pour des six coups, nous tirions tous comme des déments. D'après ce que j'entends aujourd'hui de nos grands psychologues de l'enfance, j'aurais dû devenir un Rambo. Désolé...-

L'esprit de l'anarchie et du moins de la bohème ne perdait pas ses droits dans le haut de la rue. Dans une cour à quatre maisons, vivait René Noël, peintre "lettreur" qui avait toujours refusé d'avoir un patron sur le dos. En 1929, en pleine crise, il avait dédaigné une job régulière à $100 par semaine, une fortune pour l'époque. René voulait être libre. Il avait bien commencé des études d'architecture dans un bureau à Chicoutimi mais les avait abandonnées. Aucune contrainte ne collait sur lui.

Il dessinait avec une liberté totale et surtout gagnait sa vie dans le lettrage: enseignes, camions, etc. Chose à peine imaginable, il ne faisait aucun traçage, ne tirait aucune ligne, ne prenait aucune mesure pour faire ses lettres. Il y allait à main levée, à l'oeil, le pinceau dans la main droite et celle-ci appuyée sur le poignet du bras gauche. Et c'était bien fait, bien droit. Tout le monde disait que René aurait pu faire une grande carrière. Mais il vivota dans son arrière-cour, pris par l'alcool et une tuberculose qui n'a jamais complètement guéri. Sa femme, la grande Carmen, ne s'embarrassait pas non plus de beaucoup de contraintes, selon les avis compétents...

\*

Mon père non plus n'a jamais voulu ni boss ni horaires. Il était né pour être artiste et son rêve aurait été de gagner sa vie dans le théâtre. Il fut plutôt commis voyageur après avoir fait faillite dans le commerce.

Instable, capricieux, porté aux emballements, rêveur, il avait en réalité peu de talents pour le commerce. Commis voyageur lui allait mieux car il avait un grand bagout, savait faire son numéro, et à défaut de se mettre riche, il composait son propre théâtre en parcourant la région. Il était une sorte de troupe en soi, toujours accueilli avec plaisir . Il blaguait sans cesse. Partout où il passait, les jeunes femmes l'appelaient «mon oncle René».

*Mon père, René,
pas encore démaquillé.*

Où avait-il pris ses talents, ce fut toujours pour nous un mystère. Il n'avait certainement pas dépassé le niveau des études primaires. Mais il écrivait et racontait avec un rare bonheur. Il lui arrivait de faire nos rédactions pour l'école et rédigeait même parfois celles des petits Lemieux. Une composition de mon père, c'était le succès assuré et c'était même trop bien pour des enfants de notre âge.

Un jour, il s'était mis à nous raconter l'histoire de Rasmussen au pôle Nord. Je le vois encore, assis dans son fauteuil, nous par terre en rond, captivés et émus. Il nous prenait totalement.

Ce même talent, il l'exerça en politique, orateur sur les tribunes. Sans jamais l'avoir étudié, il possédait à fond l'art de prendre une salle, de la faire rire et de l'émouvoir tout à la fois.

Avant toute chose, c'était un homme de théâtre. Il avait d'ailleurs vers 1950 fondé sa troupe avec des copains, dans le commerce comme lui. Nous avions, au fond de la cour, un grand garage à deux étages. Une partie fut convertie en atelier où la troupe faisait ses réunions et répétitions. Un capucin débonnaire agissait comme directeur artistique. La troupe pour autant n'a jamais donné dans la bondieuserie. Elle excellait plutôt dans la farce. Plus cultivé que les autres, le père capucin dénichait les pièces qui mettraient en valeur les talents «naturels» de la troupe.

Mon père avait le sens de l'énorme, de la dérision, de cette projection de l'absurde qui fascine les spectateurs. Je pense à lui quand je vois non pas de Funès mais Galabru, dans ses meilleurs rôles comme celui qu'il tient dans «Le juge et l'assassin», un film de Tavernier avec Philippe Noiret. Un peu mieux formé, mon père aurait pu jouer avec cette force.

La petite troupe des «Compagnons de Notre-Dame du Saguenay» fit quelques tournées dans la région avec un répertoire de comédies et de pièces de Ghéon.

Mais ni le théâtre, ni la politique n'apportèrent à mon père la réussite dont il rêvait. Après une faillite dans l'épicerie et une défaite aux élections, il dut se résigner, vaille que vaille, au métier de commis voyageur. Ainsi préserva-t-il au moins son indépendance.

Ses échecs, son instabilité, ses fuites dans l'alcool nous rendirent la vie difficile. L'argent était un perpétuel sujet d'angoisse, avec des pointes de crises aux rentrées scolaires. Habiller six enfants, acheter les livres... Heureusement que ma mère gérait mieux que lui et qu'elle savait à peu près tout faire: la cuisine, la couture, le chant, l'enseignement, l'écriture sans fautes et le jardinage.

Nous n'avons finalement jamais manqué du nécessaire.

Il nous arrivait le dimanche d'aller voir à Chicoutimi de belles maisons de gens riches. La vue de la richesse ne nous révoltait pas. Elle nous signalait plutôt qu'il était possible de réussir. Nous respections l'argent. Comme tous les gens élevés dans des conditions difficiles, je n'ai jamais compris les discours des gauchistes sur l'argent. Et j'ai souvent remarqué que ceux-ci venaient de milieux aisés. J'en ai conclu que le gauchisme faisait partie des formes de rachat de conscience dont n'avaient pas besoin ceux qui n'étaient pas nés dans l'argent.

Aussi généreux qu'il savait parfois être injuste, mon père était une sorte de force de la nature. Il ne donnait pas dans la nuance. Il aurait pu être écrasant, il lui arrivait de l'être, sans jamais succomber à la violence. Mais ses faiblesses étaient si évidentes que nous ne l'avons jamais pris pour Dieu le père. Plutôt costaud, il avait quelques particularités étonnantes: l'été, aucun moustique ne le piquait tandis que l'hiver il ne gelait jamais des mains. Il pouvait pelleter sa cour nues mains à 30 sous zéro. Enfant, il s'était gelé les deux mains à attendre dans l'aube, à la porte de l'église du Lac Édouard, par un froid de canard, un curé qui s'était levé en retard. Le médecin avait envisagé l'amputation. Mais les mains furent sauvées in extremis.

Sa première qualité fut à mes yeux sa grande indépendance d'esprit. Bien que peu instruit, il jetait sur le monde et les êtres un oeil qui était à la fois celui de Molière et des philosophes du 18e siècle. Dans le fond du coeur, c'était un iconoclaste, un homme peu respectueux des «images saintes» quelle que soit leur nature.

Ce qui l'agaçait souverainement, c'étaient la tartufferie, les grandes professions de vertu et de dévotion qu'il n'a jamais prises pour autre chose qu'une monumentale hypocrisie. Un de ses numéros préférés consistait à imiter un agent d'assurance connu de toute la ville et qui s'illustrait par sa présence tonitruante à la tête des processions religieuses.

Sans doute avait-il acquis cette indépendance d'esprit au cours d'une jeunesse vécue dans la liberté des bois. De riches Américains venaient passer l'été dans la région du Lac Édouard. Mon père leur servait de guide. Le bois n'avait pas plus de secret pour lui que pour un «sauvage» bon teint.

Il avait gardé de cette jeunesse un souvenir lumineux. Il en parlait souvent comme quelqu'un qui garde dans un coin secret une réserve de bonheur pour les jours sombres. Il aurait donné toutes les musiques du monde pour le son d'une eau en cascades dans les bois.

À la fin de sa vie encore, il avait voulu revivre ce bonheur ancien. Il avait attaché en un épais cahier des feuilles blanches, pour raconter ce morceau de vie. Le cahier est resté blanc.

Sans doute aussi avait-il gardé dans ses souvenirs, celui des années noires où l'échec l'avait en partie détruit. Un soir qu'il était entré ivre, il avait titubé jusqu'à la table de cuisine où je l'attendais debout. Je le fixais. Il a levé la tête et son regard s'est accroché au mien. Je n'ai pas cessé de le fixer de ce regard arrogant, froid et dur d'un jeune homme de vingt ans, en bois brut, que la vie avait encore épargné. Son regard à lui était perdu, embrumé, humide...ses yeux, d'une couleur pâle indéfinissable derrière ses lunettes, ne contenaient rien d'autre qu'une grande détresse. Des yeux de chien battu.

1) *Polytechnique, 6 décembre*, Éditions du remue-ménage, 1990. Il sera fait référence à cet ouvrage sous la forme abrégée de Poly.

2) *Poly*, p. 65.

3) Bersianik, Louky, *L'Euguélionne*, Éditions de La Presse, 1976, p. 264.

4) *Poly* p. 180.

5) Saint-Jean, Armande, *Pour en finir avec le patriarcat*, Éditions Primeur, 1983, p. 261.

6) *Poly*, p. 47.

7) *Poly* p. 42.

8) *Les têtes de pioche*, Éditions du remue-ménage, 1980.

9) *Poly*, p. 45.

10) Ibidem.

11) Voir plus loin le chapitre intitulé «Lettre aux Jérolas de l'âme masculine».

12) *Poly* p. 60.

13) Ibidem p. 129.

14) Ibidem pp. 174-182.

15) Ibidem p. 154.

16) Lipovetsky, Gilles, *L'ère du vide*, coll. Folio, 1989, p. 249 et suivantes.

17) Michaud, Yves, *La violence*, Que sais-je? 1988, p.31 et suivantes.

18) Chesnais, Jean-Claude, *Histoire de la violence*, coll. Pluriel, 1981.

19) Chesnais, J.-C., ouvr. cit. , p. 19.

20) Ibidem p. 14.

21) Ibidem p. 124.

22) Ibidem p. 441.

23) Ibidem p. 439.

24) Ibidem p. 440.

25) Ibidem p. 187.

26) Ibidem p. 441.

27) Ibidem p. 436.

28) Elias, Norbert, *La civilisation des moeurs*, coll. Pluriel, 1977.

29) Elias, N., ouvr. cit., p. 323.

30) Ibidem p. 327.

31) *Pour de vraies amours*, Conseil consultatif canadien sur la situation de la femme, juin 1987.

32) Doc. cit., p. 17.

33) Saint-Jean, A., ouvr. cit., p. 182.

34) Une statistique française, puisée dans le quotidien Le Monde en 1989, établissait à moins de 3 pour cent les cas d'agressions sexuelles physiques chez les mineurs des deux sexes.

35) Chesnais, J.-C., ouvr. cit., p. 123.

36) *Au-delà des mythes: les hauts et les bas des travailleuses non traditionnelles*. Ministère de l'Éducation, décembre 1989.

37) Doc. cit., p. 69.

38) *Poly* p. 127.

39) Morin, Edgar, *Pour sortir du vingtième siècle*, Fernand Nathan, 1981, p. 40.

40) *Poly*, p. 60.

41) Bettelheim, Bruno, Karlin, Daniel, *Un autre regard sur la folie*, coll. Pluriel, p. 151.

42) De Beauvoir, Simone, *Tout compte fait*, coll. Folio, p.618,1986.

43) French, Marilyn, *La fascination du pouvoir*, Acropole, 1987.

44) Beauchamp, Colette, *Le silence des médias*, Éditions du remue-ménage, 1987.

45) Beauchamp, C., ouvr. cit., p. 131.

46) *Poly*, p. 128.

47) La Vie en Rose, no 24, p. 56.

48) French, M., ouvr. cit., p. 193.

49) Extraits de *Féminité, Subversion, Écriture*, Éditions du remue-ménage, 1983, p. 94.

50) Beauchamp C., ouvr. cit., p. 131.

51) *S'trouver une job, c'est ben dur pis s'marier, c'est pas sûr*, CSN, janvier 1985.

52) Ouellette-Michalska, Madeleine, *L'Échappée des discours de l'oeil*, coll. Typo Essai, 1990, p. 285.

53) Ouellette-Michalska, M., ouvr. cit., p. 308.

54) Ibidem, p. 310.

55) Bersianik, L., ouvr. cit., p. 256.

56) French, M. ouvr. cit., p. 67.

57) Chesnais, J.-C., ouvr. cit., p. 37.

58) La Vie en Rose, no 17.

59) Paillet, Marc, *Le journalisme*, Éditions Denoël, 1974,
    p. 11.

60) Saint-Jean, A., ouvr. cit., p. 225.

61) De Beauvoir, Simone, *Tout compte fait*, coll. Folio,
    1986, p. 625.

62) *Poly*, p. 128.

63) Saint-Jean, A., ouvr. cit., p. 262.

64) Sullerot, Évelyne, *Le fait féminin*, Fayard, 1978, p. 278.

65) Sullerot, É., ouvr. cit., p. 71.

66) Bouthoul, Gaston, *La guerre*, Que sais-je? 1973.

67) Bouthoul, G., ouvr. cit., p.57

68) En langue du pays, petite colline rocheuse.

Achevé    Imprimerie
d'imprimer    Gagné Ltée
au Canada    Louiseville